W9-AYE-213

René Magritte

TODD ALDEN

TRADUCTION DE ARIEL MARINIE

Éditions
de La Martinière

THE WONDERLAND
PRESS

The Essential™ est une marque déposée de The Wonderland Press, New York
La collection The Essential™ est une création de The Wonderland Press

Copyright © 1999, The Wonderland Press
Pour toutes les œuvres de René Magritte © 1999 Succession de René Magritte
C. Herscovici, Bruxelles/Artists Rights Society (ARS), New York
Marcel Duchamp, *La Fontaine* © 1999 Artists Rights Society (ARS), New York/ADACP,
Paris/Succession de Marcel Duchamp

Édition originale 1999 par Harry N. Abrams, Incorporated, New York
sous le titre *The Essential™ / René Magritte*

Pour l'édition française :
© 1999, Éditions de La Martinière, Paris (France)
Traduit de l'américain par Ariel Marinie

Toute représentation intégrale ou partielle de l'ouvrage, par quelque procédé que ce soit,
est strictement interdite sans autorisation écrite de l'éditeur.

ISBN : 2-7324-2506-0
Dépôt légal : avril 1999

Imprimé à Hong Kong

Note : sauf indication particulière dans les légendes, les œuvres reproduites dans l'ouvrage
sont des peintures à l'huile.

Sommaire

Menil Collection, Houston, TX, U.S.A. Giraudon/Art Resource, NY

Le faux miroir

PAGE DE GAUCHE
Le Viol
1934
184 x 136 cm

Imaginez que vous êtes en train de vous promener par un bel après-midi sous un beau ciel bleu parsemé de légers nuages blancs, lorsque soudain, il vous semble qu'il est minuit, bien que votre montre indique 15 heures. Vous levez les yeux et apercevez un rocher de 20 tonnes avec un château perché dessus ! Des centaines d'hommes à chapeau melon flottent dans les airs, accompagnés d'un orchestre de tubas en flammes. *Sortons d'ici !* Vous rentrez chez vous au galop, appelant au secours… Et là, une pomme verte de 300 tonnes vous attend, occupant la totalité de votre salon ! Tandis que vous rasez les murs de votre couloir pour essayer d'échapper à ce cauchemar, un train sorti de l'âtre vous fonce dessus. *Mais que se passe-t-il ?*

Bienvenue dans l'univers de René Magritte. Vous reconnaissez bien la pomme, les hommes à chapeau melon, le train et l'énorme rocher. *Mais pourquoi ces objets familiers se trouvent-ils dans des endroits si insolites ?*

Même si **René Magritte** (1898-1967) n'est pas aussi connu que son collègue surréaliste **Salvador Dalí** (1904-1989), presque tout le monde a vu des reproductions de ses tableaux étranges et pourtant singulièrement familiers. Beaucoup de gens le connaissent, non grâce à son art, mais grâce à l'utilisation qu'en fait la publicité pour vendre tout et n'importe quoi, depuis les disques laser jusqu'aux cartes de crédit. Les

EN HAUT
CBS Eye
Logo de William Golden pour CBS Television
1952

EN BAS
Le faux Miroir
1928
54 x 80,9 cm

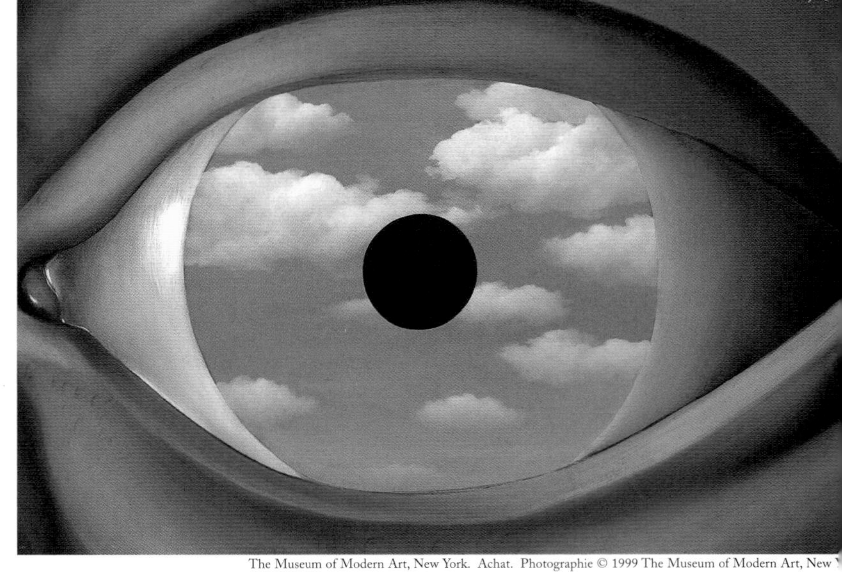

The Museum of Modern Art, New York. Achat. Photographie © 1999 The Museum of Modern Art, New Y

imitateurs sont nombreux, et pourtant, aucun ne parvient à capter l'essence du vrai Magritte — mais en quoi consiste-t-elle exactement ?

Le domaine enchanté

Ce livre vous aidera à vous familiariser avec la vision idiosyncratique tout à fait unique qui fait de cet artiste belge le plus accessible et le plus intemporel des peintres surréalistes. Le pouvoir de fascination qu'exerce Magritte est universel, car ses « rêves lucides » font prendre conscience au spectateur de la splendeur muette du monde réel et de son mystère. Oublions donc la publicité pour explorer le domaine enchanté où il nous entraîne.

Qui était René Magritte ?

Magritte était un homme très réservé, et lorsqu'il parlait de son passé, c'était de façon provocatrice, sibylline et embrouillée. Certains artistes, comme Jackson Pollock (1912-1956) et Dalí, adoraient faire parler d'eux, mais d'autres, tels que René Magritte et Edward Hopper (1882-1967), ne communiquaient avec le public qu'à travers leurs œuvres. C'est leur art et non leur vie qui nous touche et change notre manière de voir le monde.

Qu'y a-t-il dans les tableaux de Magritte ?

Ce qui est passionnant chez Magritte, c'est que *ses tableaux semblent nous happer*. Ils nous intriguent et nous dérangent. Qu'il s'agisse de la série **« mots et images »**, des **bouteilles peintes**, des **gouaches**, des **collages** ou des huiles, les œuvres de Magritte sont de véritables énigmes qui se prêtent à diverses interprétations.

À la différence des surréalistes qui exploraient le domaine de l'inconscient, Magritte s'efforçait de créer des **images lucides**. Irrité par ceux qui assimilaient ses tableaux à des rêves, il a souligné dans ses nombreux écrits que ses peintures, à la différence de celles des autres surréalistes, étaient lucides et accessibles. Il a consciemment créé un monde intellectuel de rêves *voulus* « qui n'ont pas pour but de vous faire dormir mais de vous réveiller ». Même ses titres ont pour but de renforcer le caractère énigmatique de ses œuvres : la plupart des amis de Magritte étaient poètes, et il s'amusait souvent à imaginer avec eux des titres qui étaient plus poétiques que descriptifs. Aussi ces titres reflètent-ils plus les affinités du peintre avec la poésie que le contenu de ses toiles et n'ont-ils souvent rien à voir avec le sujet.

L'homme au chapeau melon

Magritte préfère un costume, une chemise à col dur et une cravate à la blouse éclaboussée de peinture des artistes bohèmes. Il passera la plus grande partie de sa vie dans une maison bourgeoise de Bruxelles, pei-

National Gallery of Art Washington, D.C. Herscovici/Art Resource, NY

CI-DESSUS
Magritte derrière
Le Blanc-seing
1965

Duane Michals (New York)

CI-CONTRE
Le Blanc-seing
1965
81 x 65 cm

PAGE DE DROITE
Le Maître d'école
1955

gnant, non dans un atelier, mais dans son salon. Pourtant, il ne manque pas une occasion de défier les conventions. Homme aux nombreux visages, il est peintre, écrivain, penseur, joueur d'échecs, graphiste, publicitaire, rédacteur en chef, admirateur inconditionnel de Charlie Chaplin, communiste occasionnel, antifasciste, voyageur à ses (rares) heures, mordu de musique classique et lecteur avide de romans policiers.

Mais qui est *réellement* l'homme au chapeau melon ? **René-François-Ghislain Magritte** est né le 21 novembre 1898 à Lessines, en Belgique, dans une famille catholique de la classe moyenne. Son père, **Léopold Magritte**, était tailleur, sa mère, **Régina Bertinchamp** (1870-1912), était modiste. René avait deux frères cadets, **Raymond** (1900-1970) et **Paul** (1902-1975).

L'album de Magritte : souvenirs manquants

Alors que le petit René avait à peine un an, sa famille quitta Lessines pour aller s'installer dans la petite ville belge de Gilly. (Pour des raisons demeurées inexpliquées, les Magritte devaient déménager souvent au cours des douze années suivantes.) C'est là qu'il fit la première d'une

« *C'est probablement l'enfance qui est le plus près de la vraie vie.* »
ANDRÉ BRETON, dans son premier *Manifeste surréaliste*

Collection privée. Herscovici/Art Resource, NY

série d'expériences bizarres qui devaient lui laisser des souvenirs impérissables — un domaine qui passionnait les surréalistes. Après qu'un ballon aérostat se fut écrasé sur le toit de la maison familiale, deux aéronautes en casque et costume de cuir surgirent dans la cage d'escalier, traînant l'enveloppe dégonflée derrière eux. Cette rencontre surréelle donna pour la première fois à l'enfant le « sentiment du mystère ». (Les Magritte déménagèrent peu après.)

Magritte, à droite, avec ses deux frères cadets, Paul et Raymond, vers 1905

À part quelques fragments de souvenirs épars, Magritte avait peu de choses à dire sur ses premières années. En fait, il n'aimait guère évoquer cette période troublée de sa vie. En voici cependant quelques instantanés :

- **Il vit dans diverses villes ouvrières belges** où dominent les houillères, les aciéries et les verreries. En 1904, la famille part s'installer à Châtelet.
- **Il utilise un pseudonyme** « Renghis, détective » (une abréviation de son prénom René-François-Ghislain) pour signer ses premiers écrits, des romans policiers. À l'évidence, il a déjà un penchant pour les masques. (Les livres, restés inédits, ont disparu par la suite.)
- **Il passe ses vacances chez sa grand-mère** et sa tante Flora à Soignies.

- **Il aime se déguiser en prêtre** et faire semblant de conduire des foules imaginaires devant un autel qu'il a construit lui-même (sans doute trouvait-il du mystère dans le rituel catholique).

Un garçon tranquille ou bourru ?

En 1910, à douze ans, Magritte reçoit ses premières leçons de peinture, dispensées le dimanche matin au-dessus d'une confiserie, à Châtelet. Il est le seul garçon de la classe (ou, pour reprendre ses propres termes, le seul « à représenter l'humanité mâle »), où l'on enseigne notamment la « décoration de porte-parapluies ».

La plupart des témoignages sur son enfance ne disent rien sur son caractère, sinon que **c'est un garçon tranquille**. Il semble qu'il y ait eu quelques difficultés dans la famille. Le goût qu'il devait manifester plus tard pour la « provocation systématique » pourrait indiquer qu'il était *en effet* un garçon tranquille, ou du moins qu'une partie de lui était déjà bourrue. Sa mère souffre de dépression.

Le jeune Magritte aime se livrer à des facéties, comme d'accrocher des chats par les pattes au cordon de sonnette des honnêtes gens du voisinage. En se débattant, le félin actionnait la sonnette.

Portrait
1923
43 x 36 cm

Collection privée
Art Resource, NY

Le 24 février 1912 se produit l'un des événements les plus bouleversants de la vie de Magritte. Sa mère se jette du haut d'un pont dans la

« Je déteste mon passé et celui des autres. Je déteste la résignation, la patience, l'héroïsme professionnel et tous les beaux sentiments obligatoires. Je déteste aussi les arts décoratifs, le folklore, la publicité, la voix des speakers, l'aérodynamisme, les boy-scouts, l'odeur du naphte, l'actualité et les gens saouls »

MAGRITTE

Sambre au milieu de la nuit. (Ce n'est pas sa première tentative de suicide.) À en croire certains biographes triés sur le volet par Magritte lui-même, René et ses deux frères, remarquant son absence, seraient sortis la chercher dans l'obscurité et auraient retrouvé son cadavre presque nu, la chemise remontée par-dessus son visage comme un capuchon. En réalité, elle fut portée disparue pendant trois semaines avant que **l'on ne découvrît son corps** le 12 mars. **Sa chemise de nuit était en effet remontée par-dessus sa tête**. Par la suite, Magritte devait déclarer, ce qui est assez peu crédible : « On ne peut dire si la mort de ma mère a eu une influence ou non… » Il n'est pas nécessaire de croire aux théories freudiennes (curieusement pour un surréaliste, Magritte n'y adhérait pas) pour mettre ces déclarations en doute. Ce suicide et la vue du corps nu durent avoir un effet traumatisant sur l'adolescent, alors âgé de quatorze ans.

Un résultat morbide

La grande question est la suivante : quelle influence ce drame a-t-il eu sur l'art de Magritte ? C'est difficile à déterminer, dans la mesure où le peintre refusait d'en parler. Il est important de respecter la complexité des intentions esthétiques des surréalistes et de résister à la tentation de considérer cet événement comme la clef du psychisme de Magritte ou, pire encore, de l'utiliser, comme le font certains critiques, pour expliquer les symboles contenus dans ses œuvres. Bien qu'avec les fameuses « figures encapuchonnées », il est difficile de leur donner complètement tort, et on ne peut guère se tromper en avançant que le suicide de Régina et la découverte de son corps à demi nu sont les influences les plus évidentes sur la formation de l'identité du sensible adolescent.

Une époque d'anxiété

En 1913, les Magritte vont s'installer à Charleroi, où les enfants sont élevés par leur grand-mère et une gouvernante. En 1914, trois mois avant le seizième anniversaire de René, les Allemands occupent la Belgique pour la première fois. Après l'invasion, les Magritte retournent dans leur demeure de Châtelet. Deux ans plus tard, en 1916, Magritte entre à la prestigieuse Académie royale des beaux-arts de Bruxelles. Cependant, les cours conventionnels sur l'esthétique et l'histoire de l'art l'ennuient, et il semble **qu'il n'ait pas été très assidu**. Mais que signifie la beauté conventionnelle lorsque votre mère est morte, que votre pays est occupé et que la guerre la plus cruelle de tous les temps est en cours ?

Après un certain nombre d'allées et venues entre Bruxelles et Châtelet, Magritte s'installe pour de bon dans la capitale en avril 1917. Il y réalise sa **première affiche publicitaire** pour le *Pot au Feu Derbaix*, qui sort en 1918. En 1919, il publie des dessins dans la revue *Au Volant* et, au début de 1920, il expose ses projets d'affiche au Centre d'art fondé par ses amis Victor et Pierre Bourgeois.

Magritte
à l'âge de 16 ans

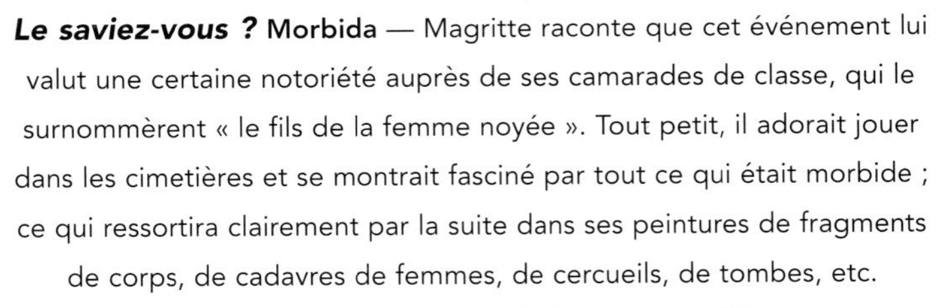

Le saviez-vous ? **Morbida** — Magritte raconte que cet événement lui valut une certaine notoriété auprès de ses camarades de classe, qui le surnommèrent « le fils de la femme noyée ». Tout petit, il adorait jouer dans les cimetières et se montrait fasciné par tout ce qui était morbide ; ce qui ressortira clairement par la suite dans ses peintures de fragments de corps, de cadavres de femmes, de cercueils, de tombes, etc.

Reportez-vous au *Balcon* de Manet, page 59.

Les deux mouvements artistiques qui influencèrent les premières œuvres de Magritte sont le **cubisme** (apparu en France en 1907-1914 sous la houlette de Pablo Picasso et Georges Braque ; il réduit les formes natu-

La Ruse symétrique
1928
53,55 x 72,45 cm
Giraudon/Art Resource, NY

relles à leurs équivalents géométriques) et le **futurisme** (école artistique et littéraire créée en Italie en 1910-1916 par les artistes et poètes Umberto Boccioni, Filippo Marinetti et Gino Severini, et qui décrit la violence, la puissance, la vitesse, la mécanisation ; hostile au passé et aux formes d'expression traditionnelles, en particulier la peinture figurative, le futurisme remplace les formes anciennes par la « beauté nouvelle » des machines et du mouvement).

LE CONTEXTE
PREMIÈRE GUERRE MONDIALE (28 juillet 1914 - 11 novembre 1918)

Les temps changeaient, et vite. Le cauchemar de la Première Guerre mondiale plongea l'Europe dans quatre années de conflits sanglants et de bouleversements sociaux et politiques sans précédent. La Première Guerre mondiale fut la première guerre « moderne » et causa des atrocités inimaginables jusqu'alors. Les mitrailleuses, les tanks, les raids aériens, les gaz et la guerre de tranchée firent des millions de morts. La France perdit 10 % de sa population active. Les survivants, mutilés, sauvés grâce aux progrès de la médecine, rappelaient sans cesse l'horreur de la guerre. Ce n'était pas joli à voir.

Il touche également à d'autres *-ismes* de l'art d'avant-garde, mais il n'est pas essentiel de s'appesantir sur les distinctions qui les séparent. Disons simplement que ses liens avec tous ces mouvements présentent les mêmes caractéristiques :

- **L'abstraction :** il expérimente avec des objets plus ou moins identifiables, mais qui sont rarement tout à fait abstraits.
- **La facture :** il emploie une facture souple incluant parfois la technique de l'*impasto* (l'empâtement, ou travail en pleine pâte, comme chez Van Gogh). Comparez sa première facture avec ses épaisses surfaces opaques, tourbillonnantes, aux surfaces transparentes et lisses de sa période plus tardive.
- **L'espace :** les surfaces sont plates, les formes ne sont pas moulées (ou le sont très grossièrement) et ne présentent pas cette perspective en trompe l'œil qui apparaîtra dans les œuvres postérieures à 1925.
- **Les sujets :** Magritte s'en tient aux sujets conventionnels : paysages, portraits et nus.

« Je peignis dans une véritable ivresse toute une série de tableaux futuristes. Cependant, je ne crois pas avoir été un futuriste bien orthodoxe car le lyrisme que je voulais conquérir avait un centre invariable, sans rapport avec le futurisme esthétique. C'était un sentiment pur et puissant : l'érotisme. »

MAGRITTE

Rencontre avec l'amour : 1920

Les choses semblent s'arranger pour Magritte en 1920. Sept ans plus tôt, avant la guerre, il avait rencontré **Georgette Berger** (1901-1986), sa future épouse, dans un manège à la foire de Charleroi. En 1920, il la retrouve par hasard, maintenant âgée de dix-neuf ans, au jardin botanique de Bruxelles. Bien que très petite-bourgeoise (comme le montrera plus tard la façon dont elle décorera leur maison), Georgette est alors une adolescente un peu bohème d'une beauté saisissante ; elle travaille à la Coopérative artistique avec sa sœur. Le jour de cette rencontre, Magritte se trouve en compagnie de son ami de longue date et futur imprésario des surréalistes, **Édouard L.T. Mesens** (1903-1970), dont l'intérêt pour la musique d'avant-garde le mettra en contact avec les surréalistes parisiens. (Magritte avait fait sa connaissance en 1920 lorsque Mesens donnait des leçons de piano à son frère Paul.)

L'armée : 1921-1922

Après dix mois passés à l'armée en 1921 à Bruxelles, Anvers, Léopoldsbourg et dans un camp près d'Aix-la-Chapelle, en Allemagne, il la déteste ; il n'a peint cette année-là que quelques portraits d'officiers. Une fois débarrassé de ses obligations militaires, **il épouse Georgette le 28 juin 1922** à Bruxelles ; le couple restera dans cette ville jusqu'à la fin de sa vie, à l'exception de trois années passées à Paris. En été 1922, les Magritte s'installent dans un appartement de location dont le peintre dessinera la plus grande partie du mobilier (c'est un excellent menuisier).

Tout au long de ces années, Magritte gagne sa vie, d'abord en travaillant en 1921 chez un fabricant de papiers peints, Peeters-Lacroix, comme dessinateur de projets, puis, trouvant l'usine aussi insupportable que la caserne, il fait « divers boulots idiots : des projets d'affiches et de publicité ».

Le saviez-vous ? **Magritte et la musique** — Les goûts de Magritte en matière de musique n'étaient pas d'avant-garde (il n'aimait pas non plus le jazz), mais plutôt bourgeois. Sa modeste collection de disques comprenait des œuvres de Bach, Brahms, Haydn, Mozart, Beethoven, Wagner et Tchaïkovsky. Après leur mariage, les Magritte iront rarement au concert, mais Georgette jouera parfois des morceaux pour René sur leur piano demi-queue.

Le mystérieux tour de magie de Magritte

Magritte n'est pas, contrairement à ce que l'on affirme souvent, le peintre des rêves nocturnes. Ses visions sont des rêves lucides qui explorent les profondeurs de l'invisible et nous entraînent dans le monde des choses cachées que la plupart des gens refusent de voir. **Elles cherchent à éveiller le spectateur et à le confronter à ses secrets les plus dérangeants,** l'invitant à pénétrer dans un domaine enchanté, à découvrir un monde souterrain plein de mystère.

Magritte et Georgette lors de leur mariage en 1922

> ***Le saviez-vous ?*** Georgette servira de modèle pour la plupart des portraits de femme de Magritte, généralement des nus. Même si son mari l'idéalise, elle possède une beauté radieuse. Georgette et René n'ont pas d'enfant (Georgette a des canaris et le couple aura un chien, Loulou) et ils resteront inséparables jusqu'à la mort du peintre.

On comprend Magritte lorsque : (1) on accepte que **ses images soient construites comme une salle des miroirs** sans signification fixe ; (2) on commence à entendre le silence de ce monde et à percevoir le mystère de l'inconnu.

Herscovici/Art Resource, NY

L'esprit dada : écrits et publications

Bien qu'il soit considéré comme peintre surréaliste, Magritte a d'abord été influencé par le dadaïsme, que lui fit connaître son ami Édouard L.T. Mesens aux environs de 1923. C'est Mesens qui avait des relations avec les dadaïstes parisiens (le noyau du futur mouvement surréaliste), auprès desquels il avait été introduit par le compositeur **Erik Satie** (1866-1925). Magritte et Mesens publièrent quelques aphorismes dans le dernier numéro de la revue dada, *391*, en 1924. Ce sont les publications des dadaïstes et des surréalistes parisiens qui leur donnèrent l'idée de fonder ensemble en 1925 la revue dadaïste *Œsophage*, qui sera suivie de *Marie*, « une revue bimestrielle pour les gens beaux » (dont seulement trois numéros paraîtront). Peu après, Mesens et Magritte s'asso-

PAGE DE GAUCHE
Le Château des Pyrénées
1959
31,35 x 21,83 cm

C'est à tort que l'on utilise souvent le mot « rêve » à propos de ma peinture […]. Nos œuvres ne sont pas oniriques. Au contraire.
Si l'on peut parler de « rêves » à propos de mon œuvre, ils sont très différents de ceux que nous avons en dormant. Il s'agit plutôt de rêves voulus […] qui n'ont pas pour but de vous faire dormir mais de vous réveiller.

MAGRITTE

cièrent aux poètes **Paul Nougé** (1895-1967) et **Marcel Lecomte** (1900-1966), ainsi qu'au marchand d'art **Camille Goemans** (1900-1960), directeur de la première galerie parisienne où furent exposées des toiles surréalistes) pour fonder une nouvelle revue mensuelle, *Correspondance*. La plupart de ces hommes feront partie du cercle d'amis de Magritte toute sa vie durant.

C'est sur les ruines de dada que Magritte et ses amis édifièrent le surréalisme belge à la fin de 1926, cosignant pour l'occasion trois textes collectifs. Plus encore que les dadaïstes, les surréalistes adoraient publier des revues et des magazines, ce qui leur permit de diffuser leur **message provocateur**, puis plus tard **révolutionnaire**, auprès du grand public. Ce que dada a enseigné à Magritte, c'est une attitude provocatrice, le goût de l'absurde et un esprit anticonventionnel qui caractériseront son personnage et son art jusqu'à la fin de sa vie.

La peinture poétique

L'esprit de dada et du surréalisme n'apparaîtra dans la peinture de Magritte qu'à partir de 1925, quand Magritte tombera sous le charme de Max Ernst, et plus encore de Giorgio de Chirico (1888-1978). Si l'attitude révolutionnaire de Magritte est en partie due au rejet dadaïste de la peinture traditionnelle, c'est Chirico qui donne à l'artiste belge la « poésie triomphante, une vision nouvelle qui permet au spectateur de reconnaître son propre isolement et d'entendre le silence du monde ».

De son propre aveu, Magritte est ému aux larmes lorsque, en 1925, un ami lui montre une reproduction d'un tableau de Giorgio de Chirico, *Le Chant d'amour*.

L'influence de Chirico sur Magritte conduit ce dernier à **se concentrer sur le contenu poétique de ses peintures** (la juxtaposition d'éléments incongrus par exemple) plutôt que sur les problèmes formels de la peinture. Elle le pousse également à **adopter le style en trompe l'œil de Chirico** et à représenter des objets reconnaissables. L'utilisation du trompe-l'œil va à l'encontre des tendances dominantes de la peinture moderne, qui met l'accent sur les langages de l'abstraction, en pleine évolution, depuis l'adolescence jusqu'à l'expressionnisme abstrait de la

> « *Les débuts de dada ne marquèrent pas le commencement de l'art, mais du dégoût.* »
>
> TRISTAN TZARA, poète

fin des années 1940. (Jackson Pollock disait : « Si vous voulez voir un visage, allez regarder un visage. ») C'est seulement avec l'apparition du pop art dans les années 1960 que l'on assiste à un retour complet à l'objet (la *Boîte de soupe* d'Andy Warhol) et que la mode rattrape Magritte.

Marcel Duchamp, *La Fontaine*, 1917
62,23 cm de haut
Musée d'Art moderne de Philadelphie

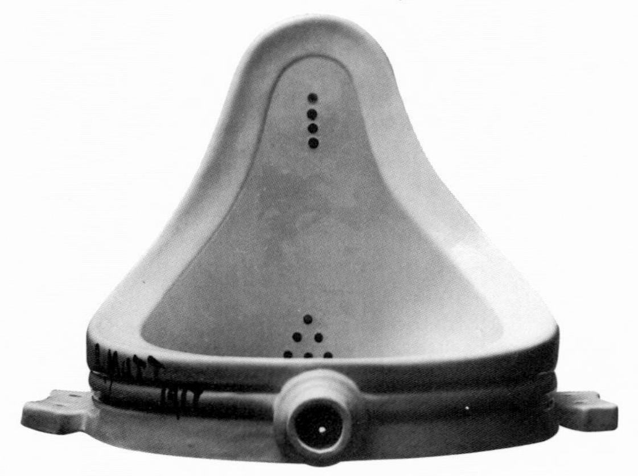

Dada est un mouvement qui réunit des artistes et des poètes au début des années 1920 — d'abord à Zurich, puis à Paris, Berlin, New York et ailleurs — révoltés contre les formes artistiques traditionnelles telles que la peinture sur chevalet. Tout en tournant en dérision les « progrès » technologiques d'une bourgeoisie pleine de suffisance, les dadaïstes créèrent un « anti-art » qui était plus centré sur ce qu'il n'était pas que sur ce qu'il était. Utilisant la provocation comme stratégie esthétique délibérée, les dadaïstes se rebellaient contre les valeurs bourgeoises et contre la débâcle entraînée par la Première Guerre mondiale. *La Fontaine* de Marcel Duchamp est un bon exemple d'art dada : il s'agit d'une vespasienne signée, fallacieusement, « R. Mutt ». Parmi les grandes figures de dada, citons le peintre **Marcel Duchamp** (1887-1968), le poète **Paul Éluard** (1895-1952), le photographe **Man Ray** (1890- 1976) et le poète **Tristan Tzara** (1896-1963).

Le mouvement littéraire et artistique **surréaliste** est né vers 1922 à Paris comme une excroissance de dada. Sous la houlette du poète et théoricien **André Breton** (1896-1966), les surréalistes cherchaient à mettre à nu « le véritable fonctionnement de l'esprit » en intentant un « procès à la réalité » (Breton). Toutes les grandes figures du surréalisme — Breton, Éluard et **Louis Aragon** (1897-1982), entre autres — étaient des poètes et des vétérans de la Première Guerre mondiale qui avaient été profondément affectés par la guerre ; tous avaient été membres du groupe dada français jusqu'à 1922. Les graines de la révolte surréaliste et sa méfiance du rationalisme avaient été semées pendant l'époque troublée de la Première Guerre mondiale. Le surréalisme était une version plus adulte de la protestation dada, qui cherchait à provoquer en vue d'édifier un nouvel ordre esthétique et social. Il se détournait de l'esthétique et du ton négatifs de dada pour s'orienter vers une recherche plus positive de la « nouvelle société ».

Les surréalistes voulaient libérer les instincts et les impulsions de l'inconscient par le truchement de l'**écriture** et de la **peinture automatiques** (que Breton appelait *automatisme purement psychique*) qui permettaient à l'artiste de contourner sa volonté pour laisser les impulsions inconscientes guider sa main dans le tracé des lignes et le choix des couleurs et de la structure, sans « interférence » rationnelle ou délibérée. Le mouvement était mieux adapté aux écrivains qu'aux artistes, le flux des impulsions pouvant plus rapidement être canalisé sur une page que sur une toile. Outre Magritte et Duchamp, les principaux surréalistes incluaient Salvador Dalí, **Yves Tanguy** (1900-1955), **Max Ernst** (1891-1976) et le réalisateur **Luis Buñuel** (1900-1983).

Les historiens situent généralement le surréalisme entre 1924 et 1947, la période comprise entre la Première et la Deuxième Guerre mondiale. Breton était le porte-parole, souvent dictatorial et controversé, du mouvement. Jusqu'à sa mort, il organisa des expositions et s'efforça de promouvoir le surréalisme à l'étranger. En 1924, il écrivit le premier *Manifeste surréaliste* — la déclaration qui constitue l'acte de naissance officiel du mouvement —, faisant serment d'allégeance à la « réalité supérieure de certaines formes d'association négligées jusqu'alors, à la toute-puissance des rêves et au libre jeu de la pensée non dirigée ». L'objectif de Breton était également d'ordre éthique : il croyait que, si les gens pouvaient s'ouvrir à leur inconscient et au monde de l'imagination, ils réussiraient à changer leur vie et même le monde. Le poète et critique d'art **Guillaume Apollinaire** (1880-1918) fut la première personne à utiliser le mot *surréalisme*, en 1917, dans une note de programme rédigée pour le ballet de Diaghilev, *Parade*, une production à laquelle collaborèrent le compositeur Erik Satie, le chorégraphe **Léonide Massine** (1896-1979) et **Pablo Picasso** (1881-1973), qui dessina le décor et les costumes. Le surréalisme s'exprima non seulement à travers la peinture, mais aussi à travers des revues et des magazines, dans la photographie et, surtout (c'était le vœu des surréalistes), dans la vie de tous les jours.

LE CONTEXTE
GIORGIO DE CHIRICO (1888-1978)

Peintre italien auteur de « paysages métaphysiques » en trompe l'œil qui juxtaposent le monde antique et des motifs contemporains. Dans *Le Chant d'amour* (1914), par exemple, un gant de caoutchouc est cloué au mur à côté d'une tête de statue antique. L'œuvre de Chirico semble surréaliste en raison de ces associations d'éléments incongrus et du chamboulement de la perspective. Pourtant, Chirico n'était pas un surréaliste. Il tomba en défaveur auprès des surréalistes purs et durs lorsqu'il se tourna vers la peinture académique, mais l'admiration que Magritte lui vouait ne se démentit jamais.

The Museum of Modern Art, New York

Le surréalisme est une énigme enveloppée dans un mystère

Le surréalisme déroute, c'est une sorte d'énigme enveloppée dans un mystère. Magritte et les surréalistes adoraient les jeux, et vous ne

« *Un ami me montra alors une reproduction de son tableau,* Le Chant d'amour, *que je considère toujours comme l'œuvre d'un des plus grands peintres de notre époque en ce sens qu'elle traite de l'ascendance de la poésie sur la peinture. Chirico fut le premier à rêver de ce qu'il* faut *peindre et non de* comment *peindre.* »

MAGRITTE

regretterez pas de vous laisser aller à jouer avec les limites du visible et du connaissable — en vous rappelant bien sûr que c'est le domaine enchanté et parfois hanté qui intéresse Magritte.

PAGE DE GAUCHE
Giorgio de Chirico
Le Chant d'amour
1914
73 x 59,1 cm

Des chapeaux melon partout

L'homme est la contradiction personnifiée : tout en se montrant délibérément et systématiquement provocateur dans ses œuvres, il s'efforce de passer inaperçu dans la vie quotidienne. Pour Magritte, ce chapeau melon qu'il ne quittera pas jusqu'à sa mort — un symbole du Monsieur Tout-le-Monde bourgeois — fait songer au masque porté par son anti-héros préféré, Fantômas, pour cacher son identité.

Collection privée. Giraudon/Art Resource, NY

Bien que ce soit tentant, il serait inopportun d'assimiler les hommes à chapeau melon des tableaux de Magritte à l'artiste lui-même, même si, à l'instar de ce dernier, l'homme au chapeau melon tourne toujours le dos au spectateur. Spectateur dans l'âme, il est la version moderne du poète romantique solitaire, contemplatif, attentif au silence du monde. En nous montrant l'homme de dos, Magritte nous convie à porter son chapeau, à nous identifier à son regard sur les mystères de l'horizon et à créer l'image et le sens engendrés par notre propre imagination.

Tout au long de sa carrière, Magritte a peint des hommes en chapeau melon. Dans les années 1920 et 1930, ces chapeaux étaient des accessoires courants, indispensables à la garde-robe de tout bon bourgeois, mais, au fil du temps, ils se sont démodés. Cependant, ils étaient devenus la signature de Magritte, tout comme la perruque blonde devait devenir celle d'Andy Warhol.

PAGE DE GAUCHE
Le Domaine d'Arnheim
1962
145 x 113 cm

« C'est un agent secret. Son objectif est de jeter le discrédit sur tout le système de la réalité bourgeoise. Comme tous les saboteurs, il s'habille et se comporte comme n'importe qui afin d'éviter de se faire repérer. »

GEORGE MEALLY, scénariste du film *René Magritte, le magicien de la classe moyenne* (1965).

Le Chef-d'œuvre ou *Les Mystères de l'horizon* 1955

Avec l'aimable autorisation de Christie's Images

Une année de transition : 1925

La Fenêtre (1925, voir page 34), que Magritte définit comme sa « première peinture », marque un progrès important. Très influencé par Chirico, ce tableau montre que Magritte est en train d'abandonner l'abstrait au profit du style en trompe l'œil de Chirico et qu'il s'est mis à peindre les objets « avec leurs détails apparents ». Ce qui est intéressant et rafraîchissant dans cette toile, c'est la juxtaposition insolite d'une main coupée et d'un oiseau en train de battre des ailes. Notez les

« Il [Magritte] mène, si je puis dire, le mode de vie le plus bourgeois qui soit. Le surréalisme n'implique pas nécessairement une existence passionnée et tumultueuse. On peut être un surréaliste tout en payant ses impôts et en respectant le code de la route. »

CAMILLE GOEMANS, marchand d'art

éléments abstraits — par exemple la forme pyramidale jaune et rouge —, caractéristiques des peintures de cette année de transition. Même s'il a trouvé cette « voix » surréaliste qu'il gardera pendant toute sa carrière, Magritte ne possède pas encore toute sa maîtrise. Il peint une soixantaine de toiles (sans compter les collages et les dessins) pendant les années 1925-1926. Il a beau affirmer que « dans l'art de la peinture tel que je le conçois, la technique ne joue qu'un rôle secondaire », la vérité est qu'il n'est pas encore aussi habile qu'il le deviendra à partir de 1928. Ses premières œuvres, peintes à raison d'une par jour, trahissent son inexpérience, notamment dans le cas de ces figures moulées sans rigueur (souvenez-vous de la main de *La Fenêtre*) qui feront un peu amateur comparées aux images très « léchées » de ses tableaux plus tardifs. C'est seulement en 1926 qu'il réalise ce qu'il considère comme sa première œuvre surréaliste réussie, *Le Jockey perdu*.

La Fenêtre
1925
63 x 50 cm

Collection privée,
Giraudon/Art Resource, NY

Le Jockey perdu

Le Jockey perdu, dont la version en collage est reproduite ici, est aux yeux de Magritte sa première œuvre surréaliste réussie, parce qu'elle tire son pouvoir, non de la virtuosité technique, mais d'une *idée poétique*. C'est en réalisant ce tableau que Magritte découvre son sens du mystère et de l'inconnu, et il reprendra souvent le thème du *Jockey perdu* tout au long de sa carrière. Des formes bizarres découpées dans une partition musicale et ressemblant à quelque chose d'intermédiaire entre des bilboquets, des pions et des pieds de table retournés sont collées sur un fond en papier, créant une unité bizarre d'éléments incongrus. (Comme Marcel Duchamp, le parrain de dada et du surréalisme, bien que moins doué que lui, Magritte est passionné

« Je décidai donc vers 1925 de ne plus peindre les objets qu'avec leurs détails apparents. »

MAGRITTE

d'échecs). Sur l'un des pions-partition, on lit : *Sprechen Sie Deutsch, mein Herr* ? (« Parlez-vous allemand, Monsieur ? ») Tout aussi perdu que le jockey, le spectateur est frappé par ce sentiment d'« inquiétante étrangeté » qu'éveilleront par la suite tant d'autres tableaux de Magritte.

Le Jockey perdu
1926
Collage et gouache
39,3 x 54 cm

Collection privée. Giraudon/Art Resource, NY

Soudain, tout réussit : 1926

En 1926, Magritte signe avec l'imprésario d'art le plus en vue de Bruxelles, P.-G. Van Hecke (1887-1977), un contrat lui garantissant l'achat de sa production. Ce témoignage de confiance et la stabilité financière qu'il entraîne redoublent la détermination de Magritte. Dès lors, il trouve son rythme. Pendant les quatre années (1926-1930) durant lesquelles il restera sous contrat avec Van Hecke, il produira deux cent quatre-vingts peintures à l'huile — un quart de la production de toute sa vie — soit environ un tableau tous les six jours. Pendant qu'il travaille à cette cadence peu ordinaire, Van Hecke essaie de créer un marché pour son art, mais ne réussit guère que de façon occasionnelle.

Le saviez-vous ? Collage — Les surréalistes adoraient les collages. Bien que Magritte n'en ait pas fait beaucoup — il en a réalisé une douzaine entre 1925 et 1927 et quelques-uns, de façon sporadique, par la suite —, ce qui est important, c'est la façon dont il utilise cette technique, sa manière de découper des formes familières pour les juxtaposer ou les redisposer d'une manière nouvelle et mystérieuse, une méthode qui caractérise pratiquement toute sa production picturale.

Au revoir, Bruxelles, bonjour, Paris !

La première exposition personnelle de Magritte a lieu en 1927 chez Van Hecke, à la galerie Le Centaure, à Bruxelles. La réaction des critiques devant ses quarante-neuf huiles et une douzaine de collages est essentiellement hostile. Cela n'empêche pas le peintre de faire ses valises avec Georgette et de partir pour Paris, le quartier général des surréalistes.

En septembre 1927, les Magritte louent un appartement au 101, avenue de Rosny, au Perreux-sur-Marne, à l'est de Paris. Le frère de Magritte, Paul, les rejoint et loue un appartement voisin. Pour gagner sa vie, il se produit dans les cafés à chanteurs des environs.

1928 est une année tumultueuse, mais prolifique. Magritte peint plus de cent toiles (dont la plupart ne seront exposées que plusieurs années après). C'est aussi pendant cette période que :

- **Son père meurt** d'une attaque d'apoplexie dans sa demeure bruxelloise (le 24 août).
- **Magritte est tenu à l'écart de deux événements surréalistes majeurs** qui ont lieu au printemps : la parution du livre d'André Breton *Le Surréalisme et la Peinture*, et l'importante Exposition surréaliste à Paris.
- **Breton change d'avis sur Magritte** plus tard dans l'année : quand Breton lui achète plusieurs tableaux, Magritte adhère au groupe surréaliste parisien.

Magritte

L'ASSASSIN MENACÉ (1926)

150,4 x 195,2 cm

The Museum of Modern Art, New York. Kay Sage Tanguy Fund. Photographie © 1999 The Museum of Modern Art, New York

L'Assassin menacé est l'un des premiers chefs-d'œuvre de Magritte.

Narration : deux hommes identiques portant des chapeaux melon (le principe du « double ») et armés respectivement d'une matraque et d'un filet guettent l'assassin. À l'arrière-plan, trois autres hommes également identiques épient par la fenêtre l'assassin, qui a tourné le dos au cadavre de sa victime, une femme nue étendue sur un sofa. Le chapeau du meurtrier, son manteau négligemment jeté sur une chaise et une valise suggèrent un déguisement ou l'imminence d'une fuite. Mais pourquoi l'assassin écoute-t-il le phonographe avec une telle apparence de détachement ? (N'aimerait-on pas savoir ce qu'il écoute ?) Réussira-t-il à s'enfuir ? Les poursuivants sont-ils vraiment à la poursuite de l'assassin ou s'agit-il là d'une scène imaginaire décrivant les conflits intérieurs du tueur ?

Lumière : la lumière crue projetée sur l'assassin et ses poursuivants contraste avec les sous-entendus sinistres (voire érotiques et nécrophiles) du tableau : à l'instar de l'« inquiétante étrangeté » elle-même (voir texte page 41), Magritte fait la lumière (au sens propre et figuré du terme) sur quelque chose que nous préférerions peut-être ne pas voir.

Enfermement : la composition magrittienne de plans en fuite (murs au premier plan et à l'arrière-plan) accroît l'impression d'enfermement et d'emprisonnement.

Effet : Magritte nous invite à reconstituer l'histoire nous-mêmes, nous laissant sans réponse. L'incertitude narrative — sur laquelle il joue si souvent et avec une telle virtuosité — nous pousse vers le domaine de la terreur et de l'épouvante.

Culture populaire : les sources d'inspiration de Magritte puisent souvent dans la culture populaire. *L'Assassin menacé* fait songer à *Fantômas* (voir page 40), une série de romans policiers qui met en scène un bandit dont les exploits captivent Magritte et les autres surréalistes. Fantômas, qui change sans cesse de déguisement, réussit toujours à semer la police, s'échappant invariablement au dernier moment et se tirant des situations les plus désespérées.

CI-CONTRE
Le Retour de flamme
1943
65 x 50 cm

Collection privée
Giraudon/Art Resource, NY

À DROITE

EN HAUT
Magritte en 1938 avec *Le Sauvage* (peint en 1928, mais détruit depuis). Ce tableau devait beaucoup à la passion de Magritte pour les romans policiers.

EN BAS
Couverture d'un livre de la série *Fantômas*
1912

Fantômas : la fascination exercée par Fantômas sur Magritte transparaît dans de nombreuses œuvres, même si les références picturales sont presque toujours déformées. Il y a une exception : *Le Retour de flamme*, où Magritte copie plus ou moins la jaquette d'un roman de Fantômas représentant le héros. Magritte est tellement captivé par ce personnage qu'en 1928 il publie dans une revue surréaliste belge son propre scénario d'une rencontre avec Fantômas.

« Il n'est jamais invisible entièrement. On peut voir son portrait à travers son visage. Quand des souvenirs le poursuivent, il suit son bras qui l'entraîne. Ses mouvements sont ceux d'un automate, il déplace les meubles ou les murs qui se trouvent dans son chemin. […] on ne peut douter de sa puissance. »

Magritte, *Notes sur Fantômas*

La recherche d'un effet poétique bouleversant

La « recherche systématique d'un effet poétique bouleversant » entreprise par Magritte rappelle singulièrement les explorations de Sigmund Freud dans le domaine de l'étrange, évoquées dans un ouvrage de 1919 intitulé *L'Inquiétante Étrangeté*. Freud présente l'« inquiétante étrangeté » comme un domaine de l'esthétique qui se rapporte non à une théorie de la *beauté*, mais à une théorie du *sentiment* — en particulier, aux sentiments de répulsion et de chagrin. (Oublions quelques instants que Magritte se montrait parfois réticent à l'égard de la psychanalyse freudienne. Freud, qui fut au cœur de la germination de la pensée surréaliste, était lui-même agacé par les surréalistes.) « L'inquiétante étrangeté », écrit Freud, « est cette classe du terrifiant qui nous ramène à quelque chose que nous connaissons depuis longtemps, qui nous fut autrefois très familier » — en d'autres termes, quelque chose qui était caché mais qui, par la suite, de façon dérangeante, remonte à la surface. Les exemples de choses « d'une inquiétante étrangeté » donnés par Freud évoquent singulièrement l'univers magrittien : doubles, automates, retour des morts, membres séparés du corps, tête tranchée, main coupée au poignet, choses qui font douter qu'un être apparemment animé soit vraiment vivant ou inversement qu'un objet apparemment inanimé ne soit en réalité vivant. Enfin, Freud observe que l'on peut souvent produire un effet d'inquiétante étrangeté en « effaçant la distinction entre imagination et réalité ». C'est cette conception de l'inquiétante étrangeté qui décrit le mieux le domaine esthétique et les effets poétiques de Magritte.

Comment crée-t-il l'illusion optique ?

L'illusion optique est à la base du style magrittien, appelé *trompe-l'œil surréaliste*. Pour créer l'illusion optique, Magritte utilise des techniques picturales telles que la perspective et les effets d'ombre et de lumière afin de faire passer l'image peinte pour une image réelle. Pour dérouter, il emploie une méthode toute simple consistant à rendre insolite ce qui nous est familier. **Il « dépayse » les objets en les sortant de leur contexte habituel.** Par exemple, il place une table Louis-Philippe sur une banquise ; **il juxtapose des éléments qui ne vont pas ensemble**, comme un tuba en flammes (voir page 45) ; il déforme ou modifie la substance des choses : une femme sans tête, des pieds nus qui sont aussi des bottines (voir page 44) ; enfin, **il change les proportions des objets par rapport à leur contexte** : ainsi, une pomme géante occupe une pièce entière voir page 104).

À la différence d'autres surréalistes qui, comme Dalí, s'attachent à donner l'apparence de la réalité à un monde onirique, Magritte représente des objets familiers — une pomme, une fenêtre, une pipe, une valise — en leur donnant une dimension insolite pour créer une impression de mystère. **L'espace magrittien se caractérise par l'absence de profondeur. L'arrière-plan est simplifié.** Des plans horizontaux interrompent exprès la profondeur de l'œuvre, interdisant tout recul par rapport à l'image. Comme dans le film noir, Magritte utilise souvent des lumières vives et des ombres marquées pour créer une impression de mystère inquiétant.

Avec l'aimable autorisation de Christie's Images

Le Sorcier
(Autoportrait
aux quatre bras)
1951
35 x 46 cm

CI-CONTRE
Le Modèle rouge
1935
Gouache
48 x 57 cm

PAGE DE DROITE
La Découverte du feu
1934-1935
33 x 41 cm

Collection privée. Herscovici/Art Resource, NY

Avec l'aimable autorisation de Christie's Images

L'une des astuces qui lui sont chères est le recadrage et la fragmentation de la composition : il recadre et fragmente ses compositions par le moyen d'un cadre interne, ce qui lui permet de souligner l'impression de dislocation à la fois de l'objet représenté et de la perception de l'image par le spectateur.

Seules les ténèbres ont le pouvoir

Les peintures de la période 1926-1936 sont extraordinairement sombres. L'un des premiers hommes à chapeau melon de Magritte apparaît dans *Les Rêveries du promeneur solitaire*. Il tourne le dos au spectateur, mais cela ne nous empêche pas de voir le (cadavre ?) nu d'une femme émaciée à la tête rasée, aux lèvres peintes. Est-elle vraiment en train de léviter sous un ciel pluvieux et sombre aux abords

> « *Étant donné ma volonté de faire si possible hurler les objets les plus familiers, l'ordre dans lequel l'on place généralement les objets devait être évidemment bouleversé ; [...] un corps de femme flottant au-dessus d'une ville remplaçait avantageusement les anges qui ne m'apparurent jamais.* »
>
> MAGRITTE

d'un fleuve et d'un pont ? Comment ne pas songer, à l'instar des critiques freudiens, au suicide par noyade de la mère de l'artiste ? Remarquez l'atmosphère inquiétante, troublante, et l'incertitude narra-

Les Rêveries du promeneur solitaire
1926
139 x 105 cm

Que se passe-t-il, au juste ? La femme est-elle morte ou vivante ? Et comment comprendre le titre : *Les Rêveries du promeneur solitaire* ?

Le plaisir (La Jeune fille mangeant un oiseau)

Le plaisir (La Jeune fille mangeant un oiseau) se distingue par une atmosphère morbide et inquiétante, comme les récits les plus noirs d'Edgard Allen Poe, à qui Magritte vouait une grande admiration. Une jeune

Giraudon/Art Resource, NY

Le Plaisir
(La Jeune fille
mangeant un oiseau)
1926
74,34 x 99,04 cm

fille blonde très « comme il faut » au col et aux poignets de dentelle déchiquette un oiseau avec ses dents en présence d'autres oiseaux. Remarquez :

- **Le contraste criant** entre la jeune fille « civilisée » (elle porte des dentelles) et sa manière bestiale de manger (dévore-t-elle vraiment la chair crue de l'oiseau ?).
- **L'arrière-plan** caché par un brouillard blanc. L'espace magrittien est presque toujours sans profondeur, ce qui provoque une impression d'enfermement. Le spectateur ne peut pas prendre de recul par rapport à l'image.
- **La fragmentation picturale** : l'image coupée à ras permet à Magritte de briser « ses liens avec le reste du monde d'une façon plus ou moins brutale ou plus ou moins insidieuse » (Magritte).
- **La façon dont Magritte manie le pinceau** est parfois franchement grossière. Remarquez la main plate, sans relief, et la façon peu soignée dont sont peints les trous de la dentelle.

Comparez la facture de ce tableau à celle des œuvres postérieures à 1929, lorsque son travail devient beaucoup plus soigné. Détail peu surprenant : cette qualité coïncide avec un déclin très net de sa production et avec un accroissement temporaire de l'intérêt des collectionneurs.

Les figures encapuchonnées : 1927-1930

Les figures encapuchonnées comptent parmi les séries de peintures les plus obsédantes de Magritte. Produites entre 1927 et 1930, elles reflètent son goût pour les masques et le mystère. Dans *La Ruse symétrique* (voir page 17), un capuchon recouvre un buste féminin, suscitant des interrogations inquiètes dans l'esprit du spectateur, que Magritte fait entrer dans ce jeu de cache-cache morbide. Quelle est la signification symbolique de ces formes tronquées qui nous effraient ? Qu'est-ce qui est caché ? Pourquoi *Les Amants* ont-ils la tête enveloppée dans un drap ? Ces figures encapuchonnées réparent-elles le traumatisme subi par l'enfant lorsqu'il a vu le cadavre de sa mère avec la chemise de nuit remontée par-dessus la tête ? La seule chose que nous puissions affirmer avec certitude, c'est que ces figures encapuchonnées nous inspirent un profond malaise.

Jouer avec la peur

Magritte se retourne-t-il dans sa tombe en entendant ces questions ? Il s'est toujours élevé contre toute interprétation symbolique de ses tableaux susceptible d'expliquer la poétique du mystère ; ses œuvres défient toute tentative de les réintégrer dans le domaine du rationnel et du connaissable. À cet égard, Magritte adhère strictement au code du magicien : *ne révèle jamais le secret de tes tours aux spectateurs*. Il nous confronte à nos peurs et à la difficulté que nous éprouvons souvent à leur faire face.

CI-CONTRE
Les Amants II
1928
54 x 73 cm

National Library of Australia, Canberra, Australie.
Giraudon/Art Resource, NY

EN BAS
Les Amants
1928
54 x 73 cm

Collection Richard S. Zeisler, New York

Stratégies poétiques

Pendant les dix premières années de sa maturité professionnelle (1926-1936), Magritte élabore la plupart des stratégies poétiques qu'il mettra en pratique jusqu'à la fin de sa carrière. Désormais, il ne peint plus jamais d'images statiques (comme un tuba), mais toujours des images qui contiennent une contradiction (un tuba en flammes). Sa stratégie poétique comportera toujours deux ou trois caractéristiques destinées à créer une impression de mystère grâce à diverses formes d'association poétique.

Voici une liste des stratégies poétiques auxquelles Magritte aura recours tout au long de sa carrière :

« Les gens qui cherchent des significations symboliques ne saisissent pas la poésie et le mystère de l'image. Il ne fait aucun doute qu'ils sentent ce mystère, mais ils veulent s'en débarrasser. Ils ont peur. En demandant "Qu'est-ce que cela veut dire ?", ils expriment le souhait que tout soit compréhensible. »

MAGRITTE

- **Juxtaposition :** d'objets quotidiens sans lien les uns avec les autres et qui, ensemble, paraissent étranges. Par exemple, le tuba, la valise et la femme encapuchonnée de *L'Histoire centrale* (voir page 66).

- **Dépaysement :** il place des objets familiers dans un contexte inhabituel pour provoquer une réaction inattendue et créer une nouvel ordre de beauté. Exemple : des grelots poussent au bord d'un gouffre dans *Les Fleurs de l'abîme* (à droite).
- **Hybridation** : il combine deux choses familières pour en fabriquer une troisième, déconcertante. Exemple : la partie inférieure d'un corps féminin se fond à une tête de poisson dans *L'Invention collective*.
- **Métamorphose :** il transforme « magiquement » les objets, comme dans les contes de fées. Exemple : les plantes de *L'Ile au trésor* sont également des oiseaux.
- **Affinités électives :** il juxtapose deux objets reliés entre eux par des affinités associatives. Exemple : dans *Les Affinités électives* (voir pages 74-75), où un œuf géant occupe une cage à oiseau, l'affinité la plus évidente entre les deux objets est un oiseau.
- **Le jeu des contraires :** deux aspects contraires sont associés de façon antithétique. Par exemple, la lumière mystérieuse de *L'Empire des lumières* (voir page 89) est engendrée par une atmosphère qui est à la fois celle du jour et de la nuit.
- **Fossilisation** : il transforme les gens, les animaux, les mots et les choses en pierre. Exemple : l'homme-pierre, le lion-pierre et le tableau-pierre de *Souvenir de voyage* (page 54).
- **Animisme :** il joue sur l'incertitude : les êtres vivants sont-ils morts et les objets inanimés vivants ? Exemple : une robe de femme aux

Les Fleurs de l'abîme
1928
41 x 27 cm
Giraudon/Art Resource, NY

The Museum of Modern Art, New York. Don de D. et J. de Menil. Photographie © 1999 The Museum of Modern Art, New York

seins gonflés est accrochée dans le placard de *Hommage à Mack Sennett* (page 55).

- **Répétition :** il reproduit les objets et les personnages en double ou en multiple exemplaire, parfois en manière de plaisanterie visuelle. Exemple : une centaine d'hommes à chapeau melon lévitent sur la toile dans *Golconde*.
- **Les tableaux à l'intérieur des tableaux :** il place des tableaux à l'intérieur des tableaux, bousculant nos schémas familiers de compréhension des objets, des peintures et du sens de ce que nous voyons en général. Exemple : dans *La Condition humaine* (voir page 97), la vue du paysage derrière la fenêtre est masquée par une peinture représentant le même paysage.
- **Des mots et des choses :** la plus importante contribution de Magritte à l'histoire de l'art est son utilisation de la contradiction linguistique — c'est-à-dire son utilisation de mots qui contredisent ou ne correspondent pas exactement à l'image à laquelle ils se rapportent. Le résultat est un relâchement de l'amarrage « fixe » entre le mot et l'image. L'exemple classique est le texte « Ceci n'est pas une pipe » écrit sous l'image d'une pipe dans *La Trahison des images* (voir

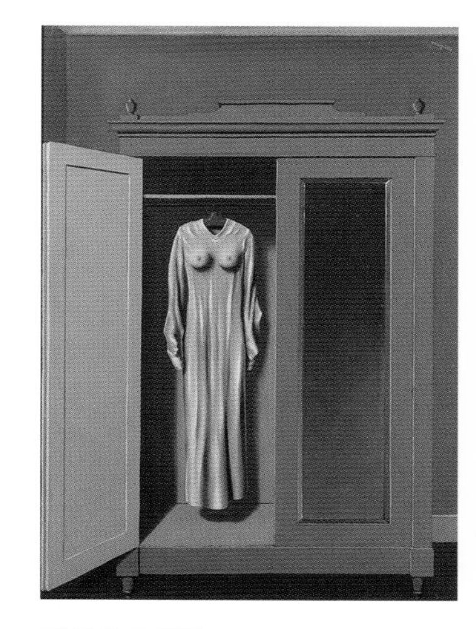

CI-DESSUS
Hommage à Mack Sennett
1937
73 x 54 cm
Giraudon/Art Resource, NY

PAGE DE GAUCHE
Souvenir de voyage
1955
162,2 x 130,2 cm

Menil Collection, Houston, TX, U.S.A. Giraudon/Art Resource

page 63). Les incursions de Magritte dans le domaine linguistique font écho aux idées du linguiste suisse Ferdinand de Saussure (1857-1913), dont les écrits sur les liens entre le langage et la pensée ont ouvert la voie aux théories linguistiques du structuralisme des années 1970.

Golconde
1953
80,7 x 100,6 cm

- **Le changement des échelles :** il augmente ou diminue la taille des objets ou des sujets par rapport au contexte. Exemple : une pomme géante occupe toute une pièce dans *La Chambre d'écoute* (voir page 104).
- **Simultanéité :** il mêle deux structures temporelles distinctes de façon que les deux soient représentées simultanément. Exemple : dans *Le Séducteur* (page 58), l'image d'une goélette apparaît formée par les vagues de la mer.
- **Copies :** Magritte imite les œuvres connues d'autres artistes (y compris les siennes) en les modifiant de façon à rendre l'image familière insolite. Exemple : dans *Perspective : Le Balcon de Manet* (page 59), il reproduit le célèbre tableau de Manet en substituant des cercueils aux personnages qui se tiennent sur le balcon.

Mots et images

C'est pendant son séjour à Paris (1927-1930) que Magritte produit l'une de ses séries les plus importantes : les tableaux « Mots et Images ». Il réalise son premier tableau en mots *La clef des songes* pen-

Le Séducteur
1955
38 x 46 cm

Collection privée
Herscovici/Art Resource, NY

dant l'automne 1927 ; son titre fait allusion au livre de Sigmund Freud, *L'Interprétation des rêves*. Parmi les caractéristiques des tableaux en mots de Magritte, citons :

- **La désignation d'objets familiers par des noms contradictoires :** même si cette méthode prédomine, Magritte n'en fait pas une règle. Parfois, un objet est désigné par son véritable nom. Par exemple, dans *La Clef des songes*, où trois objets sont désignés par des noms contradictoires, le quatrième, une éponge, est sous-titré… « L'éponge » !

Collection privée. Herscovici/Art Resource, NY

CI-DESSUS
Édouard Manet
Le Balcon
1868-1869
169 x 125 cm

Musée d'Orsay, Paris

CI-CONTRE
Le Balcon de Manet
1949
80 x 60 cm

« Le surréalisme est révolutionnaire car il est l'enemi irréductible de toutes les valeurs idéologiques bourgeoises qui retiennent le monde dans ses effroyables conditions actuelles. »

MAGRITTE, 20 novembre 1938

- **L'utilisation d'une écriture au pinceau, comme dans un premier livre de lecture :** les mots accompagnant chaque image sont écrits d'une manière stylisée qui rappelle l'écriture enseignée à l'école élémentaire : cela reflète l'intérêt des surréalistes pour l'innocence de l'enfance et le monde des rêves.
- **La syntaxe opaque des rêves :** Magritte crée un langage arbitraire où une pipe n'est pas toujours une pipe et où un cigare n'est pas toujours un cigare. Le message est le suivant : *ce n'est pas parce que vous croyez que ceci est une pipe qu'il s'agit vraiment d'une pipe.*

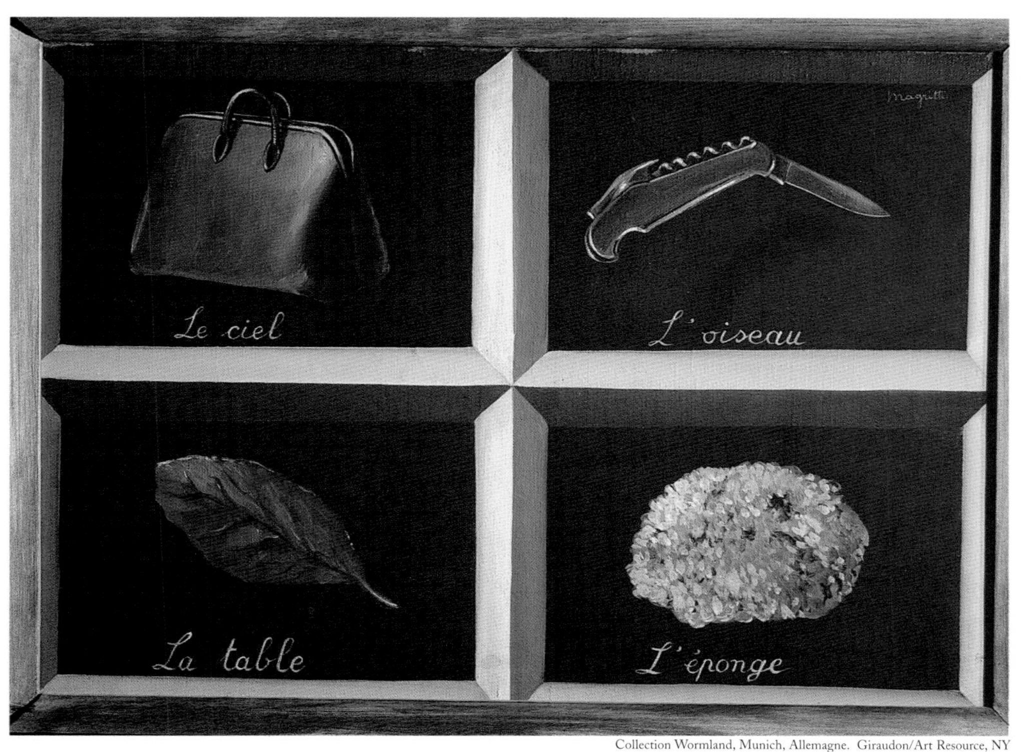

Collection Wormland, Munich, Allemagne. Giraudon/Art Resource, NY

La Clef des songes,
1927
38 x 55 cm

Ceci n'est pas une pipe

Le plus célèbre des tableaux incorporant des mots est incontestablement *La Trahison des images*, mieux connu par l'inscription qui figure dessus : *Ceci n'est pas une pipe*. Sous l'image peinte d'une pipe, Magritte rectifie : « Ceci n'est pas une pipe. ». Le langage sert ici à contredire la réaction habituelle du spectateur devant l'image, qui en l'occurrence consisterait à dire « Ceci est une pipe. ». Ce qu'il faut chercher dans ces

« Dans un tableau, les mots sont de la même substance que les images. »
MAGRITTE

tableaux, c'est la façon dont Magritte remet en question notre conception des liens entre les objets et les images et entre les mots et les choses. Il cherche ainsi à ébranler l'acceptation bourgeoise du *statu quo* et de la signification ou de l'importance accordée aux objets usuels et aux événements quotidiens.

PAGE DE DROITE
La Trahison des images (Ceci n'est pas une pipe)
1929
60 x 81 cm

Entre octobre 1927 et 1931, Magritte peint quarante-deux tableaux avec mots. Même s'il en produit encore vingt-deux par la suite, ce sont essentiellement des variations sur des idées déjà utilisées.

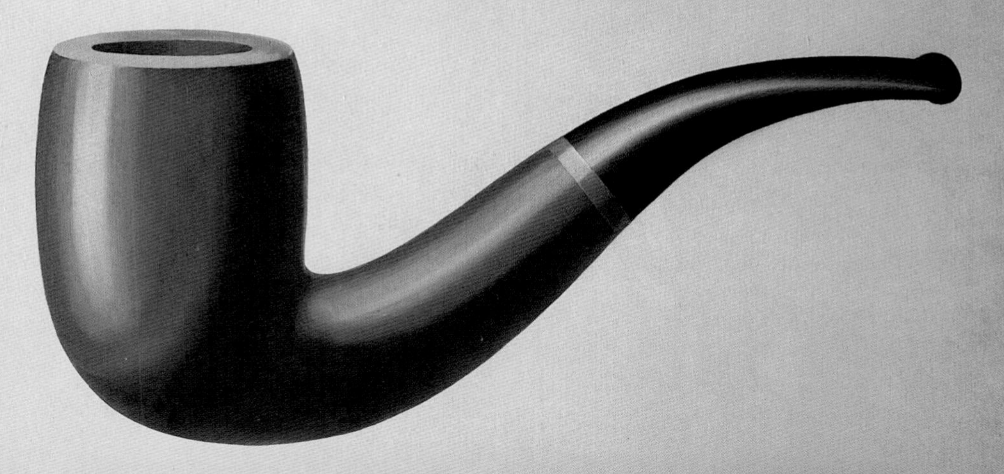

Los Angeles County Museum of Art, Los Angeles, CA, U.S.A. Giraudon/Art Resource, NY

Que fume Magritte ?

Un peu décontenancés, nous pourrions demander : *Que fume Magritte ?* Heureusement, il explique ses paradoxes dans un article publié en 1929 dans *La Révolution surréaliste* :

- **Leçon numéro un :** « Tout tend à faire penser qu'il y a peu de relation entre un objet et ce qu'il représente. » Magritte contredit l'hypothèse platonicienne selon laquelle l'image d'une pipe est identique à l'essence de la pipe. Il remet ainsi en question notre habitude de dire « Ceci est une pipe » lorsque nous en voyons l'image peinte, mettant à nu la relation arbitraire entre l'objet (une pipe) et ce qui la représente (la peinture d'une pipe).
- **Leçon numéro deux :** « Un objet ne remplit jamais le même office que son nom et son image. » Ici, Magritte distingue les objets de leurs représentations en nous rappelant que les vraies pipes ont une valeur utilitaire, tandis que la peinture d'une pipe et le mot « pipe » n'en ont pas — une leçon que nous confirmerions sans hésiter si nous tentions de fumer son tableau !

Le fait que Magritte revienne à *La Trahison des images* tout au long de sa carrière montre l'importance qu'il accorde a ses concepts. À ses yeux, la fonction de sa pipe est plus d'ordre esthétique qu'utilitaire : Il aime peindre les pipes et non les fumer ! (Il fumait cependant des cigarettes brunes.)

Les titres de Magritte

La relation problématique entre le mot et l'image va bien au-delà des quelque soixante tableaux qui contiennent des mots. Dans la plupart des cas, les titres de Magritte compliquent l'interprétation des images et la compréhension des objets. Plutôt que de rendre les choses plus compréhensibles, ce qui est habituellement le rôle des titres, ceux de Magritte élargissent l'horizon de la signification, plongeant le spectateur dans la perplexité, tout comme le font les mots qui apparaissent dans ses œuvres. Ainsi, le titre trompeur *L'Histoire centrale* (voir page 66) nous désoriente par son apparente certitude narrative : qu'est-ce qui pourrait bien constituer l'histoire centrale dans un tableau réunissant un tuba, une valise et une femme encapuchonnée ? Méfions-nous des titres de Magritte : ils sont là pour brouiller les pistes !

La tentative de l'impossible

L'un des rares souvenirs d'enfance que Magritte ait consignés par écrit est sa rencontre avec un peintre dans le cimetière abandonné de Soignies, où il aimait jouer. C'est là qu'il découvrit la peinture. Un après-midi, après avoir soulevé les portes de fer qui donnaient accès aux caveaux souterrains et visité ceux-ci, il remonta à la lumière et aperçut une scène qui le fascina. Entre les colonnes de pierre brisées et les tas de feuilles mortes, « un artiste peintre venu de la capitale (...) me paraissait accomplir une action magique. Quand je commençai de peindre moi-

L'Histoire centrale
1928
116 x 81 cm

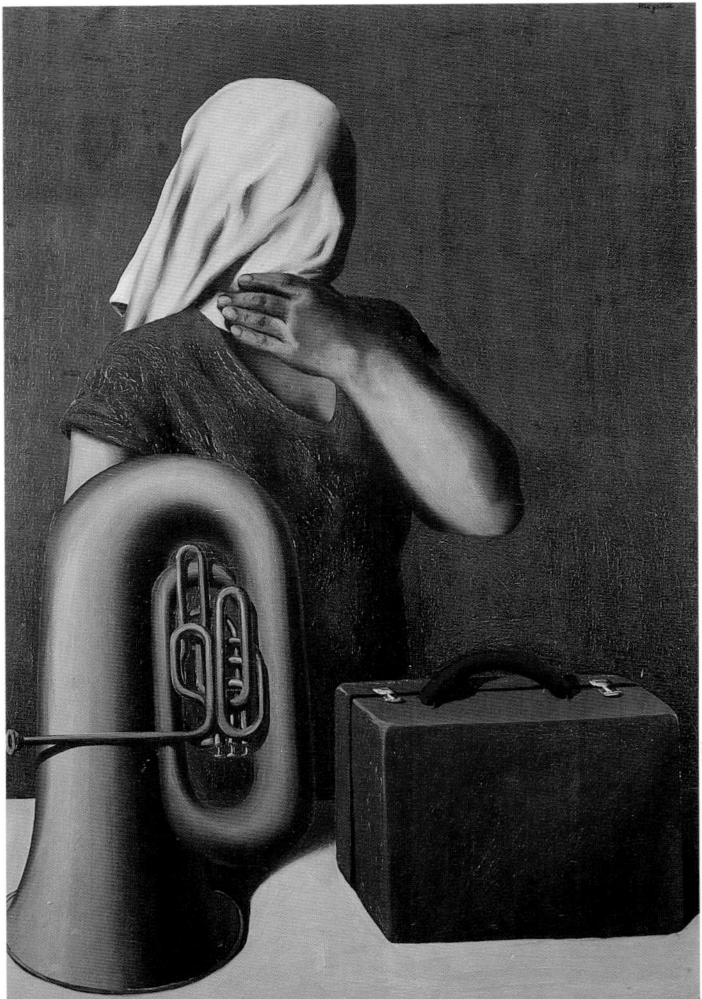

Collection privée. Herscovici/Art Resource, NY

> *« Les titres sont choisis de telle façon qu'ils empêchent de situer mes tableaux dans une région rassurante que le déroulement automatique de la pensée lui trouverait afin de sous-estimer leur portée. »*
>
> MAGRITTE

même, vers 1915, le souvenir de cette rencontre enchantée avec la peinture orientait mes essais dans un sens peu conforme au sens commun ».

Ce sentiment que l'artiste est un magicien transparaît nettement dans *La Tentative de l'impossible* (voir page 68), le premier autoportrait de Magritte (bien que Georgette soit également le sujet de ce tableau). Le thème est une variation sur le mythe de Pygmalion, qui obtient d'Aphrodite qu'elle donne vie à une statue qu'il a sculptée et dont il est tombé amoureux. Dans le tableau de Magritte, le peintre, à l'instar de Pygmalion, semble « doué de pouvoirs supérieurs » lorsqu'il donne vie à sa bien-aimée.

Le feuilleton à l'eau de rose des surréalistes

En juillet 1929, le contrat de Magritte avec sa galerie bruxelloise est résilié, mais les ventes de tableaux du peintre réalisées par Goemans sont en hausse (les collectionneurs réagissent positivement à sa facture plus soignée) et le marchand d'art a l'intention d'exposer l'œuvre de son protégé à Paris.

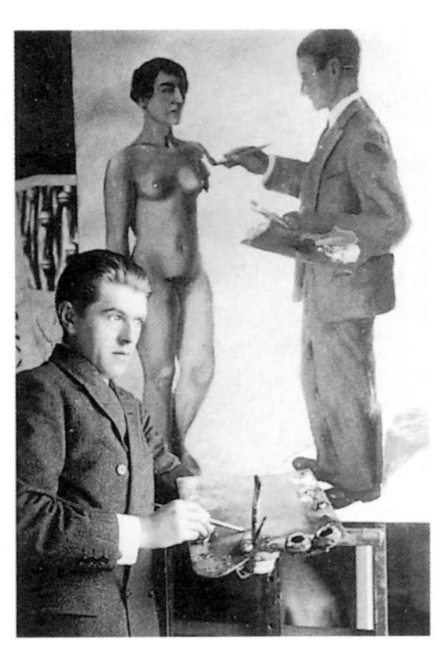

CI-DESSUS
Magritte avec
La Tentative de l'impossible
1928

Musée de l'Ermitage,
Saint-Pétersbourg, Russie
Scala/Art Resource, NY

CI-CONTRE
La Tentative de l'impossible
1928
116 x 81 cm

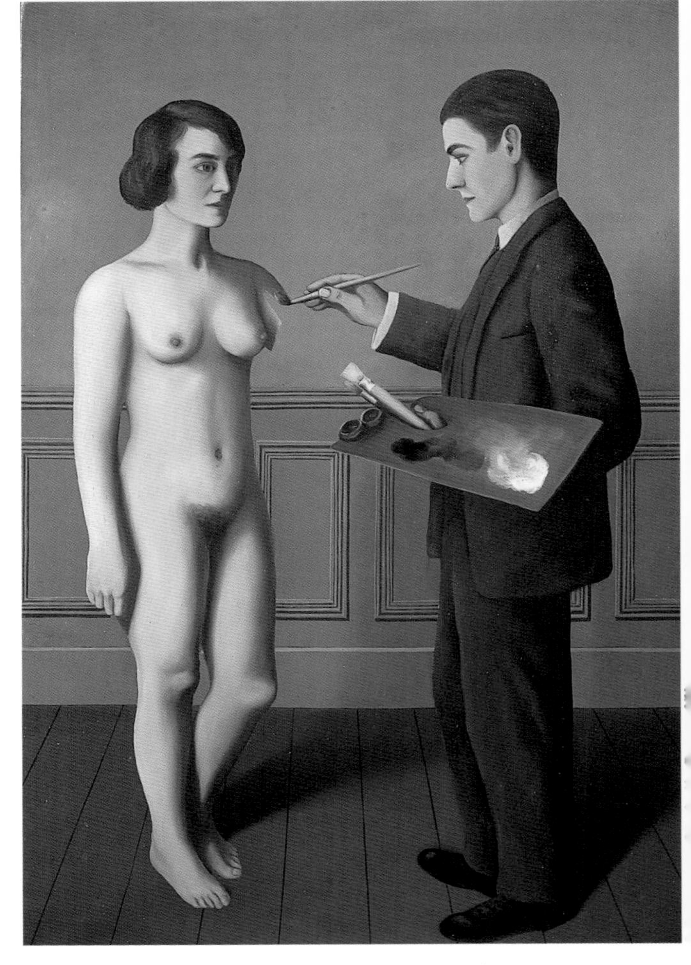

Le peintre ayant rencontré Dalí à Paris lors du tournage à Paris du film surréaliste *Un Chien andalou*, les Magritte passent le mois d'août avec Dalí à Cadaqués, sur la côte catalane espagnole, où ils louent une maison avec d'autres surréalistes : Goemans et sa maîtresse, Luis Buñuel (réalisateur d'*Un Chien andalou*), l'artiste Joan Miró, le poète Paul Éluard et sa femme, Gala. Les vacances tournent au feuilleton à l'eau de rose lorsque Gala quitte son mari pour Dalí, qu'elle épousera par la suite. L'amitié loyale que Magritte porte à Éluard date de cette période difficile pour le poète.

Magritte participe à une exposition de groupe (avec Dalí et Yves Tanguy) dans la nouvelle galerie de Goemans, qui a le malheur d'ouvrir en octobre 1929, au moment du grand krach boursier. En décembre, Magritte dessine la couverture de *La Révolution surréaliste*, où il publie l'un de ses écrits les plus importants, un texte illustré intitulé *Mots et Images*. Ironiquement, cette publication coïncide avec la brouille entre Magritte et les surréalistes parisiens : au mois de décembre, à l'occasion d'un dîner chez André Breton, ce dernier, connu pour sa tyrannie, prie Georgette d'ôter la croix qu'elle porte autour du cou. Magritte défend sa femme, et tous

LE CONTEXTE

SIGMUND FREUD (1856-1939)

Si l'ami par intermittence de Magritte, André Breton, est resté dans l'histoire de l'art comme le promoteur du surréalisme, le véritable héros intellectuel du mouvement est Sigmund Freud, fondateur de la psychanalyse et auteur de *L'Interprétation des rêves* (1900). À Vienne, Freud fut l'un des premiers à explorer le domaine jusqu'alors négligé des rêves — l'inconscient — et de la sexualité infantile. L'ambivalence de Magritte par rapport à Freud (certains affirment qu'il le rejette complètement) fait de lui une sorte de hors-la-loi par rapport aux surréalistes, qui tiennent le père de la psychanalyse pour l'un des plus grands penseurs modernes.

LA FEMME CACHÉE, 1929

Photomontage paru dans *La Révolution surréaliste*, n° 12, le 15 décembre 1929.

Photomontage du groupe surréaliste parisien entourant un tableau de Magritte ; il parut dans l'importante revue surréaliste, *La Révolution surréaliste* (n° 12), en 1929.

Traduction du texte écrit sur le tableau : « Je ne vois pas la (femme) cachée dans la forêt. »

Quoi : l'image centrale est un tableau de Magritte où la figure d'une femme se substitue au mot, comme dans un rébus ou un jeu d'enfant. La femme est encadrée par des photographies de membres du groupe surréalistes ; leurs yeux sont fermés (pas de coup d'œil furtif) ; tous ont collaboré au 12e numéro de *La Révolution surréaliste*.

Thème : la femme vue comme incarnation du mystère (un des grands leitmotive surréalistes) et la danse entre le visible et l'invisible, le connaissable et l'inconnaissable.

Qui : le modèle de la femme est Georgette Magritte. Autour d'elle est le cercle très fermé des surréalistes parisiens (tous des hommes) : (rangée du haut) Maxime Alexandre, André Breton, Luis Buñuel, Louis Aragon, Jean Capuenne ; (deuxième rangée) Salvador Dalí et Paul Éluard ; (troisième rangée) Max Ernst et Marcel Fournier ; (quatrième rangée) Camille Goemans et René Magritte ; (rangée du bas) Paul Nougé, Georges Sadoul, Yves Tanguy, André Thirion, Albert Valentin.

Sous-texte un : Magritte (du moins à l'époque) est membre adhérent du groupe surréaliste parisien.

Sous-texte deux : le mystère sexuel exploré par Magritte et les surréalistes est sans aucun doute le désir hétérosexuel masculin.

deux partent, furieux. Cet incident précipite la rupture de Magritte avec le groupe des surréalistes parisiens.

Pas toujours une fête mobile

Magritte découvre que Paris n'est pas toujours une joyeuse fête mobile : Goemans ferme sa galerie après que sa maîtresse l'eut quitté pour son bailleur de fonds, un Néerlandais, privant Magritte de son soutien financier.

Le peintre belge désapprouve beaucoup des méthodes surréalistes, telles que l'écriture automatique de Breton et la fameuse *méthode critico-paranoïaque* de Dalí, qu'il trouve artificielles et préméditées. Lui et Georgette refont leurs valises et retournent à Bruxelles en juillet 1930. Il maintiendra des relations intermittentes et mouvementées avec les surréalistes parisiens tout au long de sa vie.

Retour à la publicité

À Bruxelles, pour joindre les deux bouts, Magritte, assisté de ses frères Paul et Raymond, ouvre le Studio Dongo, une agence de publicité dont le siège est installé dans une cabane au fond de sa cour. Il se consacre essentiellement à la conception d'affiches publicitaires (cigarettes et alcool, entre autres), ainsi qu'à l'illustration de partitions musicales (on en recense une soixantaine aujourd'hui). À la différence de ses premiers travaux publicitaires, commandés par des clients amateurs d'art et dont il pouvait tirer quelque fierté, ceux-ci, destinés à un public moins éclairé, présentent plus de compromis et sont moins artistiques. Comme Magritte le souligne : « Le problème, c'est que pour le public il est absolument nécessaire d'avoir des choses médiocres. C'est seulement à de très rares occasions que l'on peut espérer voir une idée remarquable acceptée. »

En raison de ses activités publicitaires, sa production artistique à proprement parler tombe à moins de cinquante peintures à l'huile et douze gouaches pour les quatre années suivantes (du milieu de l'année 1930 à la fin de 1934). Paradoxalement, ce ne sont pas ses affiches publicitaires mais ses peintures surréalistes — son art noble — qui ont influencé la publicité et la culture populaire de la fin du XXe siècle.

Magritte et la politique : non au fascisme

Comme beaucoup de surréalistes, Magritte sympathisera activement toute sa vie avec la gauche. En 1934, Hitler venait de prendre le pouvoir, et la montée du fascisme avait commencé ; Magritte publie un puissant pamphlet dans la revue belge *Documents*, appelant à une « action immédiate » contre l'oppression fasciste. À la fin des années 1930, il dessine des affiches de propagande pour le Comité de vigilance des intellectuels antifascistes, le Parti communiste et le Syndicat belge des ouvriers du textile. En 1945, il adhère au Parti communiste. Même s'il est trop individualiste pour y rester longtemps, il gardera une sympathie pour le communisme tout au long de sa vie. Il refuse de se

Collection privée. Giraudon/Art Resource, NY

Tonny's Toffee Antoine
1931
Affiche lithographique
26 x 45 cm

départir de son accent wallon, assez prononcé, un baromètre, pense-t-il, de sa conscience de classe et de son identité belge.

Magritte se copie lui-même (et les autres !)

Magritte commence à peindre plus en 1935. Il y est encouragé par un collectionneur enthousiaste et par la perspective d'une exposition personnelle à la galerie new-yorkaise Julian Levy. Avec l'Amérique en tête, il produit plusieurs répliques et variantes d'œuvres peintes dans le passé, notamment *La Découverte du feu* et la version anglaise de

LES AFFINITÉS ÉLECTIVES, 1933

41 x 33 cm

Collection E. Perier, Paris

Quoi : Magritte invente une nouvelle méthode pour composer des images fondées sur les affinités ou les liens associatifs entre les objets — l'affinité la plus évidente entre une cage et un œuf étant un oiseau. Cette découverte entraîne d'importants changements d'orientation dans l'œuvre de l'artiste. Dès lors, presque tous les objets qu'il peint sont identifiables.

Enfermement : la cage et l'œuf sont tous deux des structures d'enfermement. Remarquez l'espace magrittien sans profondeur où les plans rapprochés amènent l'œuf sous le nez du spectateur.

Changement d'échelle : Magritte change le rapport habituel entre l'œuf et son contexte en le grossissant de façon spectaculaire.

L'artiste parle : « Une nuit de 1936, je m'éveillai dans une chambre où l'on avait placé une cage et son oiseau endormi. Une magnifique erreur me fit voir dans la cage l'oiseau disparu et remplacé par un œuf. Je tenais là un nouveau secret poétique étonnant, car le choc que je ressentis était provoqué précisément par l'affinité de deux objets, la cage et l'œuf, alors que précédemment ce choc était provoqué par la rencontre d'objets étrangers entre eux. »

Le titre : le titre du tableau vient du célèbre roman de Goethe (1749-1832), *Les Affinités électives* (1809).

Magritte

Ceci n'est pas une pipe. (Aucun des tableaux de cette exposition ne trouvera d'acquéreur, sauf si l'on compte les achats habituels de Levy.)

Magritte ne copie presque jamais les tableaux touche par touche ; en général, il change l'échelle et varie la composition. Mais cette façon de retravailler des thèmes déjà utilisés le fait accuser, comme Dalí et Chirico, de manque d'inventivité et de soumission aux exigences du marché.

Brève anticipation : depuis les années 1960, la célébrité de Magritte n'a cessé de s'étendre, et il est devenu clair que ses premiers critiques ne le comprenaient pas. Il faut se rappeler que dans les années 1930, 1940 et 1950, l'art abstrait prédominait. Le couronnement de l'abstraction fut l'expressionnisme abstrait (Jackson Pollock, Willem de Kooning), dont les toiles héroïques et la facture libre pouvaient faire paraître les toiles du peintre belge peu ambitieuses, illustratives et, pire encore, peu artistiques. En fait, Magritte n'était pas dépassé par la peinture abstraite, mais il entendait bien suivre sa propre direction !

Ces nuages blancs qui font rêver : du beurre sur les épinards

Les années précédant la Deuxième Guerre mondiale sont difficiles du point de vue financier. Pour « faire bouillir la marmite », Magritte exécute plusieurs versions miniatures du *Ciel*. (Il en avait déjà réalisé plus d'une douzaine de versions à grande échelle entre 1929 et 1931.) Ces tableaux en trompe l'œil représentent de légers nuages blancs flottant

Giraudon/Art Resource, NY

Le Ciel
1941

dans des ciels bleus — les fameux ciels magrittiens. Comme la série de *L'Empire de la Lumière*, *Le Ciel* est l'une des rares compositions que Magritte ne modifiera pas de manière significative à l'aide de ses astuces surréalistes. (Quand il reprend des thèmes anciens, Magritte donne le même titre à tous les tableaux de la série, qu'il s'agisse de toiles réalisées dans les années 1930 ou dans les années 1960. C'est surprenant de la part d'un artiste, dont on attend des peintures originales. De même qu'il se moque des collectionneurs qui accordent beaucoup d'importance au caractère unique d'une œuvre et à son originalité, il continue de plonger les historiens d'art dans la perplexité par sa « trajectoire » inhabituelle.)

Et le temps passe...

En 1938, Magritte passe beaucoup de temps à Londres. Sa première visite — pour une grande exposition surréaliste est suivie d'un séjour prolongé à l'occasion d'une rétrospective de ses œuvres dans une galerie dirigée par Mesens. Hébergé par l'un de ses collectionneurs, Edward F.W. James (1907-1984), le filleul du roi Édouard VII, il peint ce qui deviendra l'une des ses toiles les plus célèbres, *Le Temps immobilisé*, où l'on voit une locomotive à vapeur sortir d'une cheminée de salle à manger à la place du traditionnel tuyau de poêle en usage dans les foyers anglais.

Même si en général Magritte ne crée ses images qu'au terme d'un processus d'invention élaboré faisant intervenir de nombreux dessins, elles ont l'air de lui venir instantanément. Cependant, elles provoquent chez nous la surprise et la perplexité, car, même lorsque nous saisissons leurs affinités électives — les associations voulues —, nous sommes transportés dans un domaine enchanté.

La guerre éclate

En 1939, la guerre éclate. Magritte, qui commençait à avoir du succès — il a eu des expositions personnelles qui ont bien marché à New York, Londres et Bruxelles —, a l'impression de retourner dix ans en arrière, quand la Bourse s'effondra et que Goemans dut fermer sa galerie. Pour gagner un peu d'argent, Georgette se fait embaucher dans le magasin de fournitures d'artiste où son mari achète son maté-

Collection Joseph Winterbotham, 1970.426. Photographie © 1998, The Art Institute of Chicago. Tous droits réservés

La Durée poignardée
1938
147 x 98,7 cm

riel (elle lui obtient des rabais !). Elle y travaillera jusqu'au milieu des années 1950, même quand Magritte recommencera à recevoir plus de commandes.

Après l'occupation de la Belgique par les Allemands en 1940, Magritte s'enfuit à Carcassonne, dans le sud de la France, avec son ami juriste et écrivain **Louis Scutenaire** (né en 1905). Curieusement, Georgette reste en arrière. Compte tenu du contexte, le titre de sa toile *Le Mal du pays* semble inhabituellement direct. Le lion — une figure empruntée à son lexique d'images d'enfance — est couché devant un ange ailé qui regarde au loin, accoudé au parapet d'un pont apparemment français. Pense-t-il à Georgette, restée à Bruxelles ? La seconde invasion allemande en Belgique lui rappelle-t-elle le sentiment d'horreur éprouvé après la mort de sa mère ?

Les bouteilles peintes

Après trois mois à Carcassonne, Magritte retourne aux privations de la Belgique occupée, où il a de plus en plus de mal à payer son matériel d'artiste, même avec les rabais que Georgette peut lui obtenir. « Pour faire bouillir la marmite », il décore des bouteilles pour des collectionneurs désireux de l'aider. Il avait peint la facétieuse *Bière de porc* en 1937, et maintenant, Edward James l'incite à peindre plus de bouteilles, précisant : « C'est au goût de New York et aussi de Hollywood. » Mais la guerre l'empêche d'exploiter ce marché, et la plupart des bouteilles sont commandées par des collectionneurs locaux

Private Collection. Herscovici/Art Resource, NY

Le Mal du pays
1940

Collection privée.
Herscovici/Art Resource, NY

ou offertes à des amis. **On en recense environ vingt-cinq,** principalement des bouteilles de bordeaux ou de bourgogne. Certaines sont des variations sur des thèmes magrittiens, comme les ciels nuageux ou les oiseaux en vol (l'image dont Sabena Airlines devait plus tard faire son logo), tandis que d'autres, comme la *Bière de Porc*, sont des motifs « uniques ». Les sujets les plus courants sont des femmes nues dont les

Bière de porc
1937
Bouteille peinte
77,5 x 35 x 19,3 cm

Collection Christine Brachot,
Bruxelles, Belgique
Herscovici/Art Resource, NY

formes épousent celles de la bouteille. (Certaines s'intitulent *Femme-bouteille*.) Ces bouteilles atteignent maintenant des centaines de milliers de dollars dans les ventes aux enchères.

La rupture avec le style familier : 1943-1948

Une invitation pour une exposition de Magritte à Bruxelles en 1943 proclame : « René Magritte a rompu avec sa technique habituelle. » Ces œuvres bizarres et excentriques qui s'écartent du trompe-l'œil surréaliste cher à Magritte consistent en deux ensembles de tableaux :

- **Le « surréalisme en plein soleil »** : la période « Renoir » ou « impressionniste » de Magritte (1943-1947).
- **La période « Vache »** : cette période ne dure que quelques mois (1947-1948).

Important : à aucun moment Magritte n'abandonne complètement son style de la maturité (qu'il appellera plus tard « le Magritte d'antan »). Pendant ces deux périodes, il peint un certain nombre de toiles dans sa facture habituelle.

Le surréalisme en plein soleil

Avec l'expression « surréalisme en plein soleil », Magritte fait référence aux peintres de la lumière impressionnistes qui exerçaient leur art en plein air. C'est aussi le titre d'un manifeste qu'il publie en 1946 et qui suscite une violente controverse entre les surréalistes sur la question de savoir si la technique impressionniste est conciliable avec l'imagerie surréaliste. La production totale d'œuvres « surréalistes en plein soleil » de Magritte s'élève à quelque soixante-dix huiles et cinquante gouaches.

Magritte avec
une bouteille peinte
1961

Le « surréalisme en plein soleil » donne une nouvelle impulsion à « la recherche systématique d'un effet poétique bouleversant » de Magritte. Cette période est parfois qualifiée d'impressionniste en raison de l'utilisation de touches impressionnistes, de couleurs pastel lumineuses et d'une imagerie au charme insipide. La dette de Magritte envers Renoir est évidente dans *Le premier Jour*. Selon Magritte, ces œuvres délibérément optimistes sont une réaction contre la dureté et les horreurs de l'occupation allemande, qui causèrent tant de privations à Bruxelles.

La vengeance de Magritte : Meuh !

Pendant sa période *vache*, Magritte renonce une fois de plus à son style d'« antan » pour adopter une palette expressionniste de couleurs vives et une imagerie absurde et caricaturale qui évoque l'univers des bandes dessinées. Mais il n'y a aucune angoisse expressionniste dans ces tableaux qui sont autant de coups « bas » et cocasses contre le « grand art ». Magritte joue aussi sur le mot *fauve*, utilisé quarante ans plus tôt pour désigner Matisse et les autres peintres de son cercle. *L'Ellipse* est un exemple particulièrement représentatif de ces œuvres idiosyncratiques qui ne comptent que quinze huiles et dix gouaches.

« Je désire vivement une efficacité poétique nouvelle qui nous apporterait le charme et le plaisir. Je laisse à d'autres le soin d'inquiéter, de terroriser et de continuer à tout confondre. »

MAGRITTE, dans une lettre
à l'artiste belge Pol Bury, 1945

Enfin, une exposition personnelle à Paris

Les tableaux de la période *vache* sont peints exprès pour la première exposition personnelle de Magritte, qui doit avoir lieu à Paris, à la Galerie du Faubourg. Cela fait de lui le dernier grand surréaliste à avoir *son* exposition à Paris. Loin d'essayer d'impressionner les Parisiens, il ne reprend pas ses sujets les plus populaires auprès du public, pipes et autres, mais au contraire, dans un esprit très dada, il peint « vache »

Le Premier Jour
1943
60 x 55 cm

Collection privée
Giraudon/Art Resource, NY

pour se venger du monde des arts de la capitale française qui lui a accordé si peu d'attention au fil des années, qui a rejeté ses œuvres de la période « surréalisme en plein soleil » et qui prétend au « grand art ».

Qui rira le dernier

Alors qui rira le dernier ? Comme on pouvait s'y attendre, la première exposition de Magritte à Paris est un échec cuisant auprès de la critique. Il ne vend pas une seule toile. Abandonnant la série *vache*, il retourne tranquillement à sa manière classique — « la peinture bien faite d'antan » —, apparemment à la demande de Georgette. Même si l'on retrouve de temps en temps des touches impressionnistes, Magritte renonce à ces expériences, laissant au public du futur le soin de décider.

EN HAUT
Le Stropiat
1948
60 x 50 cm

Collection privée
Giraudon/Art Resource, NY

EN BAS
L'Ellipse
1948
50 x 73 cm

Collection privée. Giraudon/Art Resource, NY

Les Chants de Maldoror

En 1948, soixante-dix-sept des curieux dessins à l'encre de Chine de Magritte paraissent dans une nouvelle édition des *Chants de Maldoror* du **comte de Lautréamont** (1846-1870), qui est la bible des surréalistes. C'est un long poème en prose absurde et sadique à l'étrange pouvoir psychologique dont, selon l'historienne d'art Suzi Gablik, l'iconographie de dislocation, amputation, décapitation, fragmentation de la chair humaine, somnambulisme, putréfaction, végétalisation et autres métamorphoses présente des analogies avec l'imagerie de Magritte.

Les dessins, comme ceux des *Chants de Maldoror*, constituent une partie importante de la méthode de travail de Magritte et jouent un rôle significatif dans l'élaboration des images et des thèmes. Ce qui séduit particulièrement l'artiste dans le dessin, c'est sa plus grande spontanéité, qui lui permet de découvrir par hasard des images auxquelles il n'aurait pas songé autrement.

Que la lumière soit

Entre 1949 et 1964, Magritte réalise seize variantes à l'huile et dix à la gouache de *L'Empire des lumières*. Aucun autre tableau ne s'est aussi bien vendu de son vivant. Du point de vue de la composition, c'est ce qu'il y a de plus conventionnel chez Magritte : ce monde de lumière est très proche de celui dans lequel nous vivons. Pourquoi alors cette œuvre

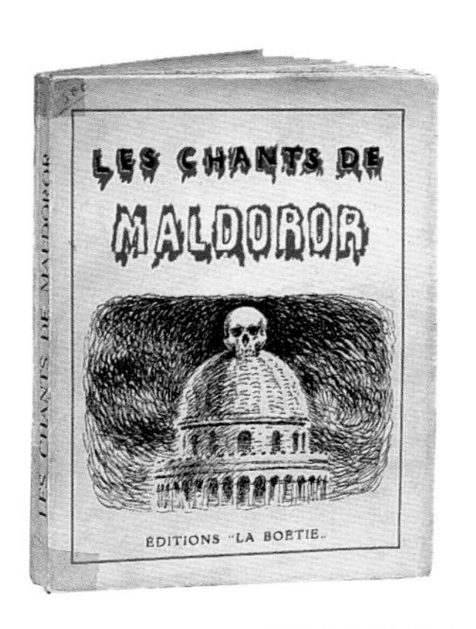

Les Chants de Maldoror
de Lautréamont
1948
Gravure
de couverture

Collection privée
Giraudon/Art Resource, NY

est-elle devenue un classique ? Une fois de plus, parce que l'artiste rend insolite ce qui nous est familier et réconcilie les contraires. Même si nous sommes tentés de louer sa maîtrise du trompe-l'œil, ces tableaux doivent leur impact au fait qu'ils déstabilisent la relation entre le familier et l'insolite. Dans l'univers magrittien, l'étrange commence toujours par quelque chose de familier. Qu'y a-t-il de plus familier que l'image d'une maison ? Les surréalistes en général (et Magritte en particulier) adoraient cette astuce. Ce qui nous surprend, c'est l'effet des sources lumineuses contradictoires qui évoquent simultanément le jour et la nuit. Aucun empire des lumières — naturel (le ciel) ou artificiel (la lampe) — ne semble prédominer. Nous sommes transportés dans un royaume mystérieux.

Des commandes importantes

Entre 1951 et 1961, Magritte réalise quatre grandes peintures murales. Ce sont des commandes qui lui assurent un revenu et l'imposent au public à une époque où ses tableaux ne sont pas encore très cotés. On affirme qu'il a peint lui-même le ciel parsemé de nuages qui orne le plafond du Théâtre royal des galeries Saint-Hubert à Bruxelles (1951) ; l'une de ces peintures est illuminée par un gigantesque chandelier. (Les ciels de Magritte ont été

Musée d'Art Moderne, Musées Royaux des Beaux-Arts. Herscovici/Art Resource, NY

L'Empire de la lumière
1954
146 x 114 cm

imités avec beaucoup moins de bonheur dans des décorations d'intérieur par des artistes de moindre talent.)

Les surréalistes aimaient les jeux de hasard, et Magritte a dû apprécier le site de sa deuxième peinture murale — un casino de Knokke-Heist, sur la côte belge. *Le Domaine enchanté* (double page suivante) est sa peinture murale la plus ambitieuse par ses dimensions ; entourant la principale salle de jeux du casino de façon spectaculaire, elle atteint 72 mètres de circonférence.

Le troisième panneau mural de Magritte, *La Fée ignorante*, a été exécuté au Palais des beaux-arts de Charleroi, le centre culturel de la région où le peintre a passé la plus grande partie de son enfance. Le titre de sa dernière peinture murale, *Les Barricades mystérieuses*, réalisée pour le Palais des congrès de Bruxelles, fait peut-être allusion à l'espace incommode attribué à Magritte par le ministre du Travail. Les trois

« Le paysage évoque la nuit et le ciel évoque le jour. Cette évocation de la nuit et du jour me semble douée du pouvoir de nous surprendre et de nous enchanter. J'appelle ce pouvoir : la poésie. […] Ce grand intérêt personnel pour la nuit et le jour est un sentiment d'admiration et d'étonnement. »

MAGRITTE

derniers panneaux muraux de Magritte se caractérisent par une **échelle monumentale** (ce qui contraste avec ses petits formats habituels), par la **réorganisation d'images** tirées du répertoire des œuvres les plus connues de l'artiste (constituant une sorte de panorama de ses grands succès) et par la **collaboration d'assistants** qui travaillent à partir de ses plans et de ses dessins. Magritte leur demande parfois d'utiliser des systèmes de décalquage agrandi, anticipant l'un des aspects cruciaux de l'art conceptuel des années 1960, qui accorde plus d'importance au concept qu'à l'aspect matériel de l'œuvre.

PAGES SUIVANTES
Le Domaine enchanté, panneau VI
1953

Peut-on dire que ce sont là les plus grandes œuvres de Magritte ? En aucun cas. En dépit d'une réussite technique incontestable, l'échelle et le recyclage des images transportent le spectateur dans un monde qui fait plus songer à une rétrospective des thèmes chers à l'artiste qu'au domaine enchanté. Ces panneaux muraux ont été réalisés dans un but purement alimentaire et pour le prestige local qu'ils conféraient à leur auteur.

Les tableaux à l'intérieur des tableaux

Avez-vous remarqué le **nombre de fenêtres** que contiennent les tableaux de Magritte ? Le peintre adorait jouer avec l'idée du **tableau vu comme fenêtre** sur le monde. Il nous apporte des « visions aperçues entre l'état de veille et de sommeil » en bouleversant l'ordre familier grâce à diverses astuces mises au service de la contradiction picturale.

L'une de ces astuces (empruntée à Chirico), le tableau à l'intérieur du tableau, lui permet de dissoudre les cadres qui marquent la distinction entre l'extérieur et l'intérieur, entre l'« espace réel » et l'espace représenté. Le paradoxe est délicieusement simple dans *Où Euclide a marché* (voir page 96) : une peinture posée sur un chevalet obstrue notre vue sur l'extérieur. Mais le paysage urbain représenté dans le *tableau à l'intérieur du tableau* est-il identique à ce que l'on voit depuis la fenêtre ? Qu'est-ce qui est réel et qu'est-ce qui est « représenté » ? Une fois de plus, Magritte bouleverse l'ordre familier, remettant en question notre vision des choses et notre compréhension des objets et des tableaux.

Le titre du tableau, *Où Euclide a marché*, est une allusion au célèbre mathématicien grec qui a vécu à Alexandrie, Euclide (v. 300 av. J.-C.), à qui Magritte fait un clin d'œil avec le reflet géométrique du cône de la tour (une « présence » au premier plan) et le cône formé par la route vue en perspective et qui disparaît à l'horizon. Magritte attache beaucoup d'importance à ces illusions optiques, que l'on retrouve dans d'autres œuvres, notamment *La Condition humaine* (voir page 97). Elles provoquent chez le spectateur un choc soudain, voire une sorte d'affolement.

Les films amateur de Magritte

Un certain nombre de surréalistes se sont essayés au cinéma, notamment Magritte, qui a tourné un court-métrage en 1930 et a collaboré à deux autres réalisés par son ami Paul Nougé (tous ont été perdus). Magritte a également réalisé une quarantaine de films amateur entre 1956 et 1960. Tournés en 8 mm et en Super 8 caméra au poing, ces films en noir et blanc, tous muets, ne comportent ni mise en scène, ni montage, ni script et sont techniquement conventionnels. Ce sont des

> « *Les choses visibles cachent toujours d'autres choses visibles.* »
>
> MAGRITTE

productions artisanales sans prétention qui n'ont jamais été destinées au public et ont été tournées pour le seul plaisir, en collaboration avec Georgette et des amis proches. Certaines images rappellent des tableaux célèbres de Magritte, comme un tuba en flammes ou deux personnages encapuchonnés en train de s'embrasser. Mais ces films amateur reflètent surtout l'esprit ludique de l'artiste et son attachement à l'invention collective. Comme dans ses propres productions, ses goûts en matière de cinéma étaient plus bourgeois qu'avant-gardistes : il possédait une collection de films muets de Charlie Chaplin et aimait aussi les films de guerre et les westerns, en particulier ceux de John Wayne.

Où Euclide a marché
1965
163 x 130 cm

Minneapolis Institute of Art. Giraudon/Art Resource, NY

Avec l'aimable autorisation de Christie's Images

La Condition humaine
1934
25,5 x 20 cm

Un jour dans la vie de René Magritte

La maison de Magritte au 97, rue des Mimosas, Bruxelles

Magritte menait une vie paisible, extérieurement du moins. Il avait des habitudes régulières, comme d'aller faire les courses à l'épicerie du coin avec son chien Loulou ou de passer l'après-midi à jouer aux échecs avec ses amis au café Greenwich. Le samedi, lui-même et les autres surréalistes belges se réunissaient pour faire salon.

Son jeune ami Marcel Mariën raconte qu'un jour, alors qu'il l'avait accompagné à l'épicerie pour acheter du fromage de Hollande, Magritte arrêta la marchande, qui se penchait sur la vitrine pour attraper une tranche déjà coupée : Non, madame, pas celui-là. Donnez-moi plutôt celui-ci » dit-il en montrant du doigt une autre tranche de fromage. « Mais c'est le même » s'exclama la brave femme. « Non, madame, rétorqua Magritte. Celui qui est en vitrine a été regardé par les passants toute la journée. » Dans la vie quotidienne comme dans son art, Magritte avait sur les choses un regard insolite.

Harry Torczyner (mort en 1997), l'avocat et ami de Magritte pendant les dernières années de sa vie, décrit le peintre comme curieux, voyeur, doué d'un esprit analytique, souvent négatif, opiniâtre et prêt à tenir tête à ceux

Collection privée.

Ceci est un morceau de fromage
1963-1964
Huile sur aggloméré (sous cloche de verre)
11,1 x 15,1 cm avec cadre de bois doré

« qui cherchent à imposer les conventions à l'humanité ». Il ajoute que Magritte est un homme solitaire et timide, hypocondriaque, soucieux d'ordre et de propreté et très ponctuel.

Georgette et les objets du désir bourgeois

Magritte déléguait à Georgette le choix du mobilier qui, du moins dans les dernières années, comprenait des meubles d'époque, des divans, des fauteuils, des tapis orientaux et un piano demi-queue. Harry Torczyner

LE FILS DE L'HOMME, 1964

116 x 89 cm

Collection privée. Giraudon/Art Resource, NY

Quoi : l'une des quatre huiles que Magritte qualifie d'autoportraits et le seul tableau où il s'identifie explicitement à l'homme au chapeau melon.

Pourquoi : ce tableau a été peint sur commande pour l'un des principaux collectionneurs de Magritte, Harry Torczyner. Après la mort de ce dernier, l'œuvre a été adjugée pour 5,5 millions de dollars à un collectionneur américain qui a gardé l'anonymat lors d'une vente aux enchères chez Christie's en 1998.

Sujet : une pomme flottante cache le visage d'un homme en chapeau melon (Magritte en personne) debout sur un front de mer sous un ciel orageux. Comme toujours, le mur de pierre horizontal placé derrière le sujet coupe la perspective et limite la profondeur.

Spéculation : même si Magritte s'oppose avec véhémence à toute interprétation symbolique de ses tableaux, comme l'historien d'art David Sylvester le souligne, « le fait est que les objets qu'il choisit d'associer à l'homme au chapeau melon sont souvent des objets irrémédiablement symboliques. Le fils de l'homme a devant les yeux le symbole de la Chute. »

raconte qu'un jour, en 1964, alors qu'il se promenait à Nice en compagnie de Magritte, ce dernier avisa un coq en porcelaine dans une vitrine : « Il faut que j'achète ça pour Georgette », dit-il. « Tu lui fais encore la cour, René ? » demanda Torczyner. « C'est vrai », admit Magritte en souriant.

Le « peintre des objets » est-il le parrain du pop art ?

C'est dans les années 1960 que Magritte commence à être reconnu sur le plan international. Cela coïncide avec la montée en popularité des pop-artistes, qui se réclament de lui. Certains vont jusqu'à déclarer que Magritte est le père du pop art. Jasper Johns, Roy Lichtenstein, Robert Rauschenberg et Andy Warhol achètent ses œuvres. Le couronnement international arrive en 1965, lorsque Magritte a une exposition au Musée d'art moderne de New York. Cependant, l'admiration que lui portent les pop-artistes n'est pas réciproque : Magritte trouve que le pop art, avec ses boîtes de soupe et ses bouteilles de Coca-Cola, fait preuve de trop de complaisance envers le monde contemporain. « C'est quelque chose de plutôt misérable qui les inspire », déclare-t-il en 1964, ajoutant : « Pour ma part,

LE CONTEXTE
POP ART

Où : New York.

Période culminante : les années 1960.

Figures clé : Jim Dine (né en 1935) ; Jasper Johns (né en 1930) ; Roy Lichtenstein (1923-1997) ; Claes Oldenburg (né en 1929) ; Robert Rauschenberg (né en 1925) ; Andy Warhol (1928-1987).

Sujets : publicité, bandes dessinées, objets usuels, images nées de la culture populaire.

Caractéristiques : le pop art est caractérisé par son acceptation de la culture de masse contemporaine (par exemple, l'image d'une boîte de soupe peut être une œuvre d'art). Sur le plan stylistique, le pop art se détourne des styles abstraits et expressifs qui prédominaient dans les années 1950 pour retourner à des images d'objets « réels » et reconnaissables appartenant à la culture contemporaine.

je pense que le présent sent la médiocrité et la bombe atomique. »

Les pop-artistes voient chez Magritte plusieurs points clé :

- **Le retour au monde réel et à la beauté des objets usuels :** regardez par exemple *Les Valeurs personnelles*, où Magritte transforme de banals objets — un lit, un peigne, une allumette, un verre, un blaireau — en quelque chose d'inutile qui éveille la perplexité. (Le Musée d'Art moderne de San Francisco a acheté l'œuvre pour 7,1 millions de dollars lors d'une vente aux enchères chez Christie's en 1998.)
- **Le changement d'échelle :** même si ce n'est pas là une astuce nouvelle chez Magritte, il y a deux grands exemples — *La Chambre d'écoute* et *Le Tombeau des Lutteurs* (voir page 106) — d'objets familiers (une pomme verte et une rose rouge) agrandis de façon spectaculaire par rapport à la pièce qu'ils occupent.
- **L'utilisation de pigments vifs :** même si les couleurs vives ne sont pas typiques de la première manière de Magritte (sauf pour la brève

« L'humour du dadaïsme était violent et scandaleux. L'humour du pop art est plutôt bien-pensant. Il est à la portée de n'importe quel décorateur-étalagiste venu. [...] Est-il permis d'attendre du pop art autre chose qu'un dadaïsme édulcoré ?

MAGRITTE, à la télévision belge en 1964

Giraudon/Art Resource, NY

Les Valeurs personnelles
1952
81 x 100 cm

Magritte

période impressionniste et pour la période Vache), sa palette s'éclaircira par la suite — notamment dans *La Chambre d'écoute* et *Le Tombeau des lutteurs*. Cet aspect a certainement séduit un certain nombre de pop-artistes, qui affectionnaient également les couleurs vives.

- **L'humour pictural :** la manière d'encadrer un objet peut le couper du monde, rendant sa signification arbitraire, comme dans *La Clef des songes*. (Le pop-artiste Jasper Johns possède une variante de ce tableau datée de 1935.)

PAGE DE GAUCHE
La Chambre d'écoute
1958
38 x 46 cm

Même si l'avènement de sa célébrité coïncide avec la montée du Pop art, Magritte n'a jamais partagé le souhait d'Andy Warhol de voir tout le monde être « célèbre pendant quinze minutes ». Au contraire, le peintre belge n'a jamais recherché cette célébrité qui lui est venue sur le tard et qui, comme son ami Scutenaire le soulignait, l'a « plus tourmenté qu'il ne l'avait été par l'incompréhension et les malentendus. Plus il recevait d'honneurs et d'argent et plus il se sentait mal à l'aise. »

Autres influences : jadis et maintenant

Si les peintures d'objets de Magritte ont influencé les pop-artistes, sa compréhension linguistique de l'art (l'idée selon laquelle, dans un tableau, « les mots sont de la même substance que les images ») influença l'essor d'un autre mouvement artistique important des années 1960, l'art conceptuel, promu par un groupe d'artistes moins préoccupés par les impératifs commerciaux et qui, comme Magritte, donnaient

Le Tombeau des lutteurs
1960
88,20 x 116,42 cm

la primauté à l'idée sur le tableau et sur son exécution. Des artistes conceptuels mondialement connus comme le Belge **Marcel Broodthaers** (1924-1976) et l'Américain **Joseph Kosuth** (né en 1945) ont souligné l'importance de l'œuvre de Magritte pour leurs propres recherches et sont allés jusqu'à recycler son imagerie dans leur œuvre.

Aujourd'hui, il est devenu difficile de parler d'art contemporain sans évoquer le nom de Magritte, dont l'influence continue à s'étendre, tandis que de grands artistes des années 1990, comme Robert Gober (né en 1954), continuent à explorer les vestiges du surréalisme et de l'art conceptuel.

Les sculptures

Peu avant sa mort en 1967, Magritte se laissa convaincre par son marchand de tableaux, Alexandre Iolas, de s'essayer à la sculpture. L'idée était de créer une sculpture tridimentionnelle fondée sur des images empruntées à la peinture de l'artiste et qui devait être coulée dans le bronze. À la différence des tableaux, les sculptures peuvent être regardées en ronde bosse.

En juin 1967, Magritte visite la fonderie près de Vérone, en Italie, où il signe huit modèles de cire qui doivent servir à mouler les sculptures de bronze. Cependant, peu après son retour en Belgique à la fin du mois, il tombe malade. Après un court séjour à l'hôpital, il décède chez lui le 15 août 1967 d'un cancer du pancréas. Il ne verra jamais la réalisation de ses bronzes. Ses notes et ses dessins montrent que pour l'une des sculptures, *La Joconde*, il avait l'intention de décorer l'un des rideaux avec son fameux motif de ciel et de nuages.

Peut-on considérer ces sculptures comme des œuvres achevées ? À l'évidence, les marchands de Magritte pensaient que oui : elles furent exposées l'année suivante à Bruxelles et à Londres (1968), puis à Zurich (1972). Cependant, elles n'ont pas vraiment retenu l'attention de la critique. Le

La Joconde
1967
Bronze
250 x 177 x 97 cm

Giraudon/Art Resource, NY

matériau dans lequel elles ont été coulées, le bronze, est traditionnellement associé aux objets de prix : cela pèse sur l'« ascendance de la poésie » éthérée qui nous séduit tant dans les œuvres en deux dimensions.

Les derniers mots

L'une des dernières œuvres de Magritte s'intitule prophétiquement *Le Dernier Mot* (voir page 112). Sur un arrière-plan de montagnes vertigineuses que l'on retrouve dans beaucoup de ses tableaux, on voit une grande feuille flottante contenant l'image d'un arbre. Le fait que Magritte place un arbre (le tout) à l'intérieur d'une feuille (un fragment du tout) — vision contradictoire de l'impossible — nous déconcerte une fois de plus. *Le Dernier Mot* évoque l'abîme qui se trouve au-dessous de l'arbre de vie. C'est le gouffre qui sépare les objets et les images, les mots et les choses, la vie et la mort. Peut-être cet inconnu invisible échappera-t-il toujours à ceux qui cherchent à l'appréhender, comme l'a fait le maître belge du surréalisme. « Notre bonheur dépend [...] d'une énigme attachée à l'homme et [...] notre seul devoir est d'essayer de la connaître », déclarait-il.

Pourquoi Magritte est-il un grand peintre ?

Rebelle au *statu quo* et à toutes les idées reçues, en particulier à celles qui ont trait au statut d'artiste, Magritte prend un malin plaisir à défier toute attente et à décourager tous les efforts en vue de lui coller une étiquette. À la différence du capricieux Picasso — l'archétype du peintre moderne dont l'accomplissement se mesure en termes d'évolution stylistique (par exemple, période bleue, période rose, cubisme, etc.) —, Magritte adore brouiller les pistes, au grand dam des historiens d'art qui affectionnent les trajectoires bien nettes. Quoique bien renseigné par une sensibilité d'avant-garde, Magritte peint dans un style (le trompe-l'œil) qui, pour la plupart des artistes modernes et de leurs partisans, était considéré comme académique et décalé par rapport aux tendances abstraites dominantes.

Qui plus est, Magritte s'en tiendra au trompe-l'œil tout au long de sa carrière (à deux exceptions près), se concentrant non sur la question de savoir « comment peindre » mais « que peindre ». En termes d'invention picturale, il défie toute narration linéaire continue. La plupart de ses thèmes et des problèmes d'ordre pictural sont abordés dès les dix premières années de sa maturité (1926-1936), aussi n'est-il pas étonnant qu'il y revienne trente ans plus tard, avec des variations qui donnent souvent plus d'impact aux versions postérieures qu'aux originaux.

« L'idée de manipuler de la peinture me donnerait plutôt la nausée. »

MAGRITTE

Comme Matisse et Picasso, Magritte change la relation entre le spectateur et l'œuvre d'art de façon radicale. Plutôt que de faire des tableaux « désintéressés » destinés à la pure délectation esthétique, Magritte cherche à provoquer, à surpendre et à choquer son public. Il abandonne les notions traditionnelles de beauté et de sublime pour l'esthétique de l'*inquiétante étrangeté* et du mystérieux.

Bien que très incompris au début de sa carrière, Magritte est le plus intemporel et le plus accessible de tous les peintres surréalistes. Ceci est dû en partie au fait qu'il puise dans le lexique du **banal et du familier** pour créer un **monde insolite**.

Son refus d'inclure des images purement imaginaires dans son œuvre de la maturité le place en marge de ses collègues surréalistes. En outre, par son mépris des surfaces opaques et tourbillonnantes de la peinture abstraite qui font souvent l'effet de panneaux proclamant « Interdiction d'entrer », **il nous apprend à regarder le mystère du monde**, à nous pencher sur certains sentiments inexprimables que nous éprouvons tous. Si ses toiles sont des univers dans lesquels le spectateur est admis, c'est en partie parce que Magritte s'intéresse plus aux pensées, à la poésie et à la philosophie qu'à la peinture à proprement parler. Lui-même se considère comme un penseur qui fait des tableaux.

Le public d'aujourd'hui n'est plus aussi choqué et déconcerté par les toiles de Magritte, d'abord largement rejetées et dénigrées. Même si le peintre a mis longtemps à accéder à la célébrité, sa réputation et son

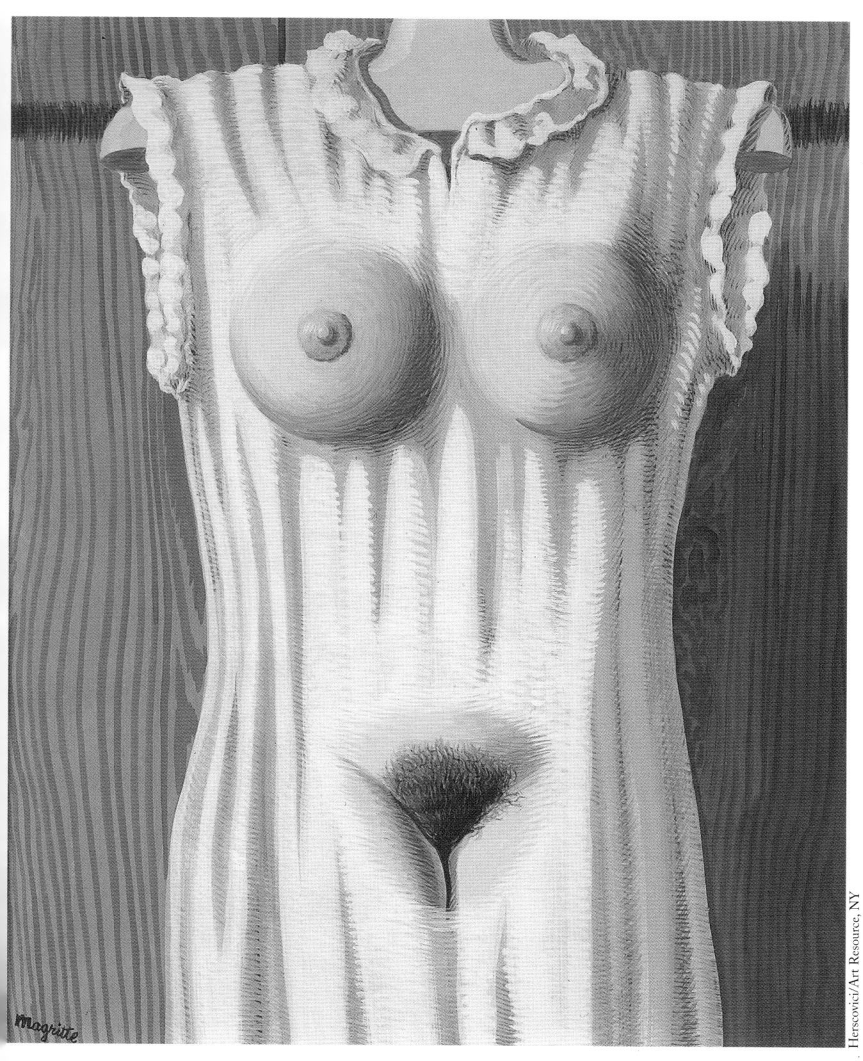

La Philosophie de la chambre
1966

Herscovici/Art Resource, NY

influence continuent de s'étendre. Si le Magritte que nous admirons maintenant est idiosyncratique, anticonventionnel et espiègle, ses tableaux, ses « rêves lucides », sont étonnamment accessibles et pertinents de nos jours. Nous les aimons pour leur pouvoir d'évocation du mystère dans un monde qui devient de plus en plus prosaïque. Ils nous rappellent le potentiel latent de l'imagination et nous laissent entrevoir que celle-ci pourrait nous aider à concevoir le monde de façon nouvelle.

Le Dernier Mot
1967
81 x 65 cm

Collection privée
Art Resource, NY